LA COLO
INFERNALE

Tome III

Gaston Leroux

Edition : Culturea (culurea.fr), 34 Hérault
Contact : infos@culturea.fr
Impression : BOD, Norderstedt (Allemagne)
ISBN :9791041835652
Date de publication : juillet 2023
Mise en page et maquettage : https://reedsy.com/
Cet ouvrage a été composé avec la police Bauer Bodoni

Troisième partie

LE « FAUX NOM »

I

Ce qu'il y avait dans le dossier H

Dans le dossier H, il y avait…

D'abord, sur la couverture, ces mots : *Dossier H* ; puis, une feuille de papier écolier en tête de laquelle on lisait *Dossier Hache.* Sur cette feuille, trente prénoms s'alignaient les uns au-dessous des autres avec des indications, des signes, des étoiles, le tout absolument incompréhensible.

Puis une autre feuille de papier écolier en tête de laquelle on lisait *Dossier du faux nom.*

Au centre de cette feuille, il y avait un plan ; une ligne sinueuse traçait certainement le lit d'un cours d'eau dont le sens était marqué par une flèche. Sur la rive gauche, le plan indiquait une église ou une chapelle. En aval de cette église ou de cette chapelle, des carrés, des parallélogrammes, des trapèzes représentaient, à n'en pas douter, des immeubles formant les deux côtés d'une rue au milieu de laquelle coulait le cours d'eau ; sur la rive gauche, on lisait, dans un carré, ce mot : *blanchisserie-lavoir.* De l'autre côté, sur la rive droite, presque en face mais un peu en amont, il y avait un autre carré dans lequel on avait écrit en chiffres : *vingt-huit* !

C'était tout ce qui se trouvait sur cette feuille.

Enfin, une lettre était épinglée à la feuille. L'enveloppe était absente. Le papier était une feuille volante portant l'en-tête d'un café de Strasbourg, le texte en était écrit au crayon et paraissait avoir été tracé en grande hâte. L'écriture en était la même que celle du *Dossier Hache* et du *Dossier du faux nom,* et, comme la lettre était signée, on connaissait du coup le nom du personnage qui avait rédigé et tracé le tout.

Ce personnage était Frédéric Bussein qui, au su de tout Nancy où il tenait un magasin d'appareils photographiques sur la place Stanislas, avait été fusillé au moment de la déclaration de guerre, comme espion.

Nous savons, de notre côté, qu'il était *contrôleur volant* dans l'organisation de guerre du service secret de campagne de Herr Stieber, et nous l'avons vu à l'œuvre la nuit tragique de la mort d'Hanezeau et de Kaniosky.

Et maintenant voici le texte de la lettre qui était adressée à *Herr Polizeirath...* Ce texte était en allemand. Nous traduisons :

Monsieur le conseiller de police sera content. Tout est arrangé et convenu avec le général Tourette lui-même et non avec l'autre ainsi que nous l'avions pensé un instant. Je l'ai vu moi-même. Il « marche » tout à fait et nous sommes d'accord sur le prix.

Le très dévoué serviteur de monsieur le conseiller de police

Frédéric BUSSEIN.

II
La guerre au village

Il y a, sous Arracourt, un village qui, autrefois, fut charmant et qui le redeviendra, mais qui, en ce moment, n'est plus que ruine. À l'heure où nous reprenons notre récit, on se bat dans ce village depuis huit jours, c'est-à-dire depuis la victoire de la Marne et aussi depuis que les admirables troupes des généraux Castelnau et Dubail ont donné de l'air à Nancy, définitivement délivré de la menace allemande.

C'est un village qui est traversé dans toute sa longueur par la ligne sinueuse d'un gracieux cours d'eau, très humble affluent de la Seille.

Ce village possède ou plutôt possédait une église, une charmante petite église du XVe siècle dont il ne reste plus que quelques pans de murailles. L'église se trouvait sur la rive gauche du cours d'eau ; et sur cette même rive gauche, mais un peu en aval, il y avait une *blanchisserie-lavoir.*

Nous sommes à Chéneville-sous-Arracourt, et c'est là que nous retrouvons Gérard avec la Colonne Infernale.

On pense bien que ce n'est pas un pur hasard qui envoyait le fils de Monique combattre justement dans un village dont la disposition immobilière rappelait si singulièrement le plan dont il a été question au chapitre précédent. Il est certain que Gérard ne vivait plus que pour pénétrer tous les mystères du dossier H.

Disons tout de suite, à l'honneur de Gérard et de Monique, qu'ils ne pouvaient pas croire à la culpabilité d'un général français et qu'ils n'y crurent pas !

Il y a des crimes qui grandissent avec leur auteur, et qui, par le fait même de la place que celui-ci occupe, prennent une proportion si désespérante *qu'on se refuse à l'envisager.*

Ni Gérard ni Monique n'envisagèrent la possibilité de la trahison du général Tourette.

L'affirmation apparente de cette trahison qui ressortait du document les avait frappés au cœur cependant ; mais comme ils connaissaient l'homme et qu'ils l'avaient toujours tenu pour parfaitement honorable, ils finirent par se confier leur mutuelle inquiétude d'une innocence *nécessaire* !...

– J'aurais mieux agi en ne te montrant pas ce dossier, avait dit Monique, et certes, c'est ce que j'aurais fait si j'avais pu soupçonner que nous y trouverions ce mensonge et cette infamie ; mais je n'y avais jeté qu'un coup d'œil au moment de la fuite de l'empereur et je n'avais pas lu la lettre !...

C'était la vérité. Du moment qu'elle n'avait pas trouvé là l'écriture et le nom d'Hanezeau, Monique n'avait pas jugé utile d'approfondir sur place la valeur du dossier qu'elle avait un instant entrouvert et était revenue en hâte dans sa chambre.

– Et pourquoi ne m'auriez-vous pas montré ce dossier ? Ne pensez-vous pas qu'il peut, plus qu'à tout autre, m'être utile, à moi !...

– Oui, mais plus qu'à tout autre, il te fait de la peine, mon Gérard !...

– C'est vrai, ma mère !... Me donnez-vous ce dossier ?... je veux dire : me le confiez-vous ?... Il ne vous appartient ni à vous ni à moi !... Il appartient au pays mais j'estime que c'est travailler pour le pays que de s'efforcer, comme je vais le faire, de démêler la trame ourdie dans l'ombre contre un honnête homme et un brave soldat ! Pour cela, le mystère est nécessaire. Si je n'ai point réussi dans mon dessein d'ici quinze jours, je remettrai le dossier à qui de droit, officiellement et de votre part, puisque vous étiez chargée de vous en emparer !...

– Fais selon ta conscience, mon enfant ! mais encore que vas-tu faire ?

– Ceci est mon secret, ma mère !...

Et, après l'avoir embrassée, il était parti, le regard sombre et le cœur plein d'amertume.

Le brave garçon trouvait évidemment, malgré sa foi dans le général Tourette, que le destin s'acharnait singulièrement après lui !

Il semblait ne point pouvoir faire un pas depuis quelque temps, sans être frôlé par l'aile fuyante de la trahison… et cela chez lui, autour de lui, toujours !…

Cela avait été d'abord cette abominable angoisse à cause de la marque … et de son père !…

Et puis, il avait eu cette douleur atroce de soupçonner sa mère !… et de quel soupçon !… soupçon enfui pour toujours !… pour toujours !… pour toujours !… Ah ! comme il s'était évanoui l'infâme soupçon, sous le souffle de sa mère, sous le regard honnête et triomphant de son héroïque mère !…

Mais enfin, ce soupçon, il l'avait eu !… Ah ! quelle douleur !… Et puis, maintenant, c'était un nom qui lui était aussi cher que le sien, le nom de sa fiancée, le nom de Tourette, que l'aile de l'ignoble oiseau de nuit, de la chauve-souris « Trahison », salissait ou tentait de salir à son tour…

C'était le front bien aimé de sa chère et pure Juliette qui était frôlé dans les ténèbres !…

Ah ! qu'est-ce qui tournait comme cela autour d'eux ?… qui est-ce qui trahissait comme cela autour d'eux ? si près d'eux ?… Il fallait le savoir !… Il le saurait !…

Le jour même, Gérard était rentré dans le rang avec « l'Infernale » qui s'était, du reste, consolée difficilement d'avoir laissé échapper l'empereur ! »

On avait eu beau dire à ces messieurs que la faute en était tout entière à la victoire de la Marne et qu'il n'était point permis de regretter la victoire de la Marne, laquelle avait, cette nuit-là, fait courir un peu trop vite le Kaiser sur les routes, ils avaient joliment « bougonné ».

« Avoir raté un si beau coup ! »…

Corbillard, qui s'était d'abord institué « brosseur civil » de Gérard, et qui venait de s'engager pour avoir le droit, comme tout le monde, de porter un uniforme et de se faire légalement casser la figure à côté de son chef, Corbillard « faisait la tête » ! Il prétendait qu'il avait tenu, un moment, entre les doigts, la moustache du Kaiser et qu'elle avait failli lui rester dans la main !

Tout de même, la fête qui les attendait au corps, les félicitations des grands chefs et les décorations avaient mis un peu de baume sur toutes les blessures, même sur celles de l'amour-propre, et les « Infernaux » finirent de se consoler tout à fait en apprenant qu'avec la permission du général commandant d'armée, et en récompense des services rendus par leur organisation tout à fait exceptionnelle, leur « unité » était maintenue telle quelle, sous les ordres de Gérard, nommé lieutenant !

Le général commandant la division se réservait d'user de son « Infernale » dans les moments difficiles et pour des besognes dont il aurait préalablement apprécié l'importance.

L'occasion n'avait pas été longue à se présenter.

Et ce fut Gérard lui-même qui demanda à être envoyé avec ses hommes dans les fameuses caves de Chéneville-sous-Arracourt où l'on se battait atrocement depuis huit jours sans qu'on fût arrivé, de part ni d'autre, à un résultat appréciable…

- Mon général, j'ai, dans ma compagnie, des hommes qui connaissent Chéneville comme leur poche… et nous vous promettons de mener les Bavarois par de petits chemins qu'ils sont loin de soupçonner…

- Allez, mon garçon !…

Gérard aurait pu lui dire qu'il avait le plan de Chéneville dans sa poche et dans le dossier H, mais le mystère du dossier H ne lui appartenait pas…

Cependant, c'est en montrant à ses compagnons une copie de ce singulier plan et en leur demandant, sans autre explication, si l'un d'eux connaissait un village *qui était bâti comme ça* qu'il était arrivé presque tout de suite à être fixé !…

- Bah ! s'était écrié Mathurin Cellier quand son tour fut venu de jeter un coup d'œil sur le plan… Bah ! je crois bien ! J'y suis né !…

- Non ! vous parlez sérieusement ? avait fait Gérard qui n'avait pu s'empêcher de tressaillir de joie.

- Si je parle sérieusement ? avait repris le photographe. Mais je vous dis que c'est Chéneville-sous-Arracourt ! Voici la rivière et voici l'église de Notre-Dame-de-la-Rivière et voici le lavoir et la blanchisserie… Tout de même c'est un drôle de plan que celui d'un village où l'on a noté seulement l'emplacement du lavoir et de la blanchisserie !

Gérard n'avait point jugé bon de reproduire sur la copie du plan le chiffre « vingt-huit », au-dessus de la rivière. Sur la réflexion de Cellier, il avait remis le plan dans sa poche et s'éloignait déjà quand il l'entendit dire :

- « Pour sûr, ça a été fait pour quelqu'un qui était amoureux de la blanchisseuse !

- Vous la connaissiez la blanchisseuse ?…

- Dame oui !… et je connaissais son amoureux aussi !… C'était mon ex-patron, le Frédéric Bussein de la place Stanislas, celui qu'on a fusillé au commencement de la guerre… Mais qu'est-ce que vous avez, monsieur Gérard, vous n'allez pas vous trouver mal ?…

- Non ! répondit Gérard d'une voix singulièrement émue… non ! ce n'est rien ! *je brûle !…*

- Pour sûr que nous faisons un métier à attraper la fièvre, conclut Cellier.

Mais Gérard était déjà parti. Il courait chez le général. Et le lendemain, l'infernale venait donner un fameux coup d'épaule aux camarades qui commençaient de trouver le temps long au fond des caves de Chéneville !

Quelle guerre que cette guerre au village !… De même qu'après la victoire de la Marne, les troupes allemandes en débâcle s'étaient accrochées aux carrières de l'Aisne, et avaient inauguré leur guerre de taupes, de même, après leur défaite sous Nancy, les Bavarois avaient envahi tout ce qui pouvait leur être un refuge et s'y étaient méthodiquement fortifiés.

Chéneville-sous-Arracourt fut l'une de ces premières forteresses souterraines qui nous coûtèrent tant d'efforts à enlever. Et nous ne saurions mieux faire pour donner une idée de ce mode nouveau du combat que de reproduire quelques lignes du bulletin officiel lui-même.

Pour concevoir à quel degré peut atteindre l'art des Allemands en matière de truquage des positions, il faut avoir visité le sol et surtout le sous-sol de Chéneville.

Les caves vastes et profondes des maisons ne leur ont pas suffi.

Ils ont commencé par recouvrir les voûtes extérieures d'une couche de béton d'un mètre au moins. Puis, partant du fond des caves, ils ont creusé, en dessous, de nombreux abris fortement protégés. C'est là qu'ils se cachent pendant le bombardement. Entre ces caves, ils ont établi des communications souterraines, et, d'un bout à l'autre du village, ils circulent comme des taupes, surgissant tout à coup là où on les attend le moins. L'un d'eux, muni d'un périscope, a été vu en arrière de nos lignes et a pu s'échapper sous terre quand on l'a poursuivi.

Chaque pâté de maisons est armé de mitrailleuses, placées dans des abris bétonnés. Tels de ces abris étaient munis d'une grille fermée à clé, derrière le mitrailleur.

En outre, amenant en hâte de l'artillerie, l'ennemi avait commencé, sur la partie du village occupée par nous, un tir dont le réglage n'avait aucune peine à être parfait.

C'est dans ces conditions que nos fantassins, de lundi à vendredi, ont continué, sans un instant d'arrêt, la conquête du village. Nos progrès ont été lents, ils ne pouvaient pas ne pas l'être.

Chaque groupe de maisons a été assailli successivement et presque toujours par les caves, en même temps que par les rues. Il s'est dépensé, dans cette lutte ingrate, des trésors d'abnégation, de patience, d'ingéniosité. Chaque soir, nos poilus ont pu enregistrer un progrès, jamais un recul.

Ce soir-là, on avait fini par s'emparer de la mairie sur la place de l'Église ; l'église était toujours entre les mains des Bavarois. C'était le seul point qu'ils occupaient encore sur la rive gauche. Mais pour atteindre les immeubles de la rive gauche, nous avions commencé à creuser des boyaux sous la rivière.

Le point de départ de ces derniers travaux était justement les caves de la blanchisserie et les bâtiments du lavoir qui formaient éperon et commandaient la rivière.

Là, plus que partout ailleurs, le combat avait été acharné. Mais quand la lutte, vers la dernière heure du jour, s'était apaisée, les travaux souterrains avaient continué avec plus d'activité et plus de mystère que jamais… Car évidemment chacun travaillait de son côté *et écoutait l'autre* !…

C'est dans l'une de ces caves que nous retrouvons Gérard qui avait reçu une légère blessure à l'épaule gauche et Théodore gémissant.

Théodore n'est cependant pas blessé, mais Théodore comme toujours a peur. Il a peur qu'« il lui arrive quelque chose ». Ce qui vient d'arriver à Gérard n'est point fait pour le rassurer. « Quelques centimètres de plus à droite et cette balle te traversait le cœur », et il ajoutait en secouant la tête : « Tu verras que tout cela finira très mal ! Pour un rien, je donnerais ma démission ! »

Hélas ! cela, en effet, devait bientôt se terminer d'une façon fâcheuse pour le brave garçon qui devait certainement avoir un pressentiment de sa fin prochaine, car il n'avait jamais été aussi mélancolique.

– As-tu au moins des nouvelles ? demanda-t-il en soupirant.

– Des nouvelles de qui ?…

– Tu sais bien… de Juliette !…

Gérard eut un geste d'impatience...

– Non ! fit-il, mais je suis tranquille sur son compte depuis qu'elle a bien voulu regagner Nancy et que je la sais rue du

Téméraire… Maintenant, permets-moi de te dire, mon vieux, que si le mot « mademoiselle » ne t'écorche pas la bouche…

- Oh ! je ne voulais pas te froisser… Je vous aime tant tous les deux !…

Gérard voulut bien rire et ne s'occupa pas plus de Théodore que de son épaule endommagée…

Il était en train de surveiller attentivement le déblaiement d'un boyau duquel sortait de temps à autre, avec une brouette, l'infatigable photographe.

Tout à coup, Cellier fit signe à Gérard de le suivre. Et ils s'enfoncèrent tous deux dans la terre.

Théodore soupira plus fort, et, sans rien dire, le suivit car il avait peur de rester tout seul…

Il y avait un petit lumignon qui brûlait, au bout du boyau, et qui éclairait Fer-Blanc à genoux, appuyé sur sa pioche. Il continua d'avancer. Soudain la lumière s'éteignit et une obscurité profonde l'enveloppa. Il n'en continua pas moins d'avancer sur ses genoux et assez rapidement pour retrouver les autres, le plus vite possible. Bientôt, il se heurta à Fer-Blanc qui lui souffla dans l'oreille : « On n'avance plus, ordre supérieur !… et motus ! »

III
L'amoureux de la blanchisseuse

Il était arrivé ceci que Fer-Blanc, avec sa pioche, avait déplacé une pierre derrière laquelle il avait rencontré le vide, c'est-à-dire qu'il s'était trouvé tout simplement devant une étroite galerie qui passait sous la rivière.

L'affaire était d'importance.

Gérard et, derrière lui, Cellier s'étaient aussitôt glissés dans ce nouveau boyau et y étaient partis à la découverte, à tâtons.

Les derrières gardés par Fer-Blanc et Théodore, il n'avançait qu'avec la plus grande précaution, écoutant à chaque instant s'il n'entendait point quelque bruit révélateur du côté des Allemands ; mais cette galerie dans laquelle ils étaient descendus, et qui avait été certainement construite avant la guerre, était enfouie si profondément qu'aucun écho de l'intérieur ne semblait pouvoir lui parvenir.

Gérard était extrêmement intrigué mais nullement surpris.

S'il avait si habilement et si utilement manœuvré pour venir « travailler » *chez la blanchisseuse,* c'est qu'il était à peu près sûr d'y découvrir quelque chose d'exceptionnellement intéressant.

Le prix que l'ennemi attachait au dossier *Hache,* la singularité du plan qui s'y trouvait étaient propices à exciter l'imagination.

Ce n'était pas pour rien que l'espionnage allemand avait indiqué, d'une façon aussi précise, l'immeuble de la blanchisserie-lavoir dans ce petit village de Lorraine, et ce n'était pas pour rien non plus qu'il avait inscrit le chiffre 28 sur l'immeuble qui lui faisait face de l'autre côté de la rivière.

Cependant, Gérard, quand il était arrivé à la blanchisserie, avait à peu près tout mis sens dessus dessous ; il avait cherché partout, il avait tout fouillé ! Il n'avait rien trouvé qui pût retenir son attention.

Il s'était désolé car il avait bien pensé trouver là quelque indice qui l'eût mis sur la trace du mystère qui touchait de si près le général Tourette (est-ce que la lettre relative au général n'était point épinglée sur le plan ?)...

N'ayant rien découvert du côté de la rivière, il eût bien voulu approcher maintenant l'immeuble au chiffre 28. Mais comment ? Tout ce côté de Chéneville était aux mains des Allemands et ceux-ci fouillaient le lavoir, dissimulés derrière les murs mêmes de la maison en question.

D'où l'intérêt que Gérard portait aux travaux de sape et de mine qui le rapprochaient de la rive opposée. Et maintenant voilà qu'un heureux coup de pioche venait de mettre au jour une galerie qui réunissait les deux immeubles !... dont l'un était fréquenté par Frédéric Bussein, l'espion de Nancy !...

... Qu'allait-on maintenant découvrir ?...

Dans quel mystère d'avant-guerre venait-on d'entrer ?...

Gérard, tout à coup, fit jaillir l'étincelle de sa petite lanterne électrique de poche...

Cellier et lui purent voir qu'ils débouchaient de la galerie dans une petite cave rectangulaire qui était absolument vide et qui ne prenait le jour nulle part...

– Drôle de trou !... fit Cellier. M'est avis cependant que nous sommes dans une cave du *bougnat* !... mais une cave « sous la cave »... une cave que personne ne connaissait, pas plus que personne ne connaissait la galerie sous la rivière !... Ce sacré Bussein ! Il en avait des trucs ! Dommage que la blanchisseuse ait déménagé !... *Nenni ma fi ! Te pense,* ce qu'elle aurait pu en raconter !...

– Dans la cave du *bougnat* ? Quel *bougnat* ? demanda Gérard à voix basse en continuant l'examen attentif du mur.

– Le père Chalons, *Planches de sapin, lattes et houille* !... c'est lui qui habitait la maison qui est marquée 28 sur votre plan !... pourquoi 28, attendu qu'il n'y a pas de rues numérotées à

Chéneville ?... Encore un mystère de ce sacré Bussein !... Dommage qu'on l'ait zigouillé... Et voilà un qui aurait pu parler... *Te parles !*

- Ainsi, en face de la blanchisserie, il y avait un charbonnier...

- Le plus drôle, c'est que la blanchisserie était fermée quand « le charbon » était ouvert ! et que, du jour où la nouvelle blanchisseuse est venue s'installer, il y a environ un an de cela, le père Chalons, *Planches de sapin, lattes et houille,* a fermé sa boutique qui n'a plus jamais rouvert depuis !...

- Et la blanchisseuse ?

- Ah ! m'sieur Gérard, jolie comme un cœur mais une gueule de Boche por sûr !... mais si gentille avec son petit *tablié* !...

- Et qu'est-ce qu'elle est devenue ?...

- Disparue huit jours avant la déclaration de guerre.

- C'était dans l'ordre !... Alors, elle était la maîtresse de Bussein ?...

- M'sieur ! il venait la voir tous les samedis soir, et ne repartait que le lundi matin. Elle disait que c'était son oncle. C'est comme ça que je l'ai connu. Moi aussi le samedi soir j'arrivais à Chéneville voir ma vieille maman...

- Où est-elle, votre vieille maman ?...

- *Te parles !* je l'ai fait rappliquer à Nancy, dès les premiers bruits de guerre, dans mon chez-moi de la rue de la *Hache,* où qu'elle m'attend encore, la bonne vieille !...

- Vous disiez donc que c'est à Chéneville que vous aviez fait la connaissance de Bussein ?...

- Oui ! oui ! à ce moment-là j'étais employé aux Nouvelles Galeries sur la place de la Gare... je gagnais pas gros et Bussein m'a tenté en m'offrant vingt-cinq francs de plus par mois et en me disant qu'il m'apprendrait la photographie. Au fond, moi, je n'ai pas perdu à l'affaire, car j'ai appris un vrai métier et je peux maintenant me débrouiller tout seul !...

– Tu es resté longtemps avec lui ?...

– Le temps d'apprendre le métier !... Aussitôt après, je me suis carapaté, parce que je me doutais de quelque chose... mais je n'étais sûr de rien... Tout de même, il venait de sales têtes de Boches, chez lui, de drôles de commis-voyageurs... des clients de toutes sortes !... jusqu'à un berger... oui, un vieux berger... que je vous dis !... *Te parles !...* un berger qui venait soi-disant pour faire « tirer son portrait »... Enfin, je suis parti !...

– Il a dû être furieux !...

– Oui, d'abord... Il tenait à moi parce qu'au fond, j'étais le seul Français de la boîte !... Oh ! je m'en rendais bien compte... au fond, je n'ai jamais bien su ce qu'il voulait faire de moi !... Je l'ai consolé en lui envoyant un copain sans place qui habitait sur le même palier que moi... J'ai du reste averti le copain... je lui ai dit : « Ouvre l'œil... c'est très boche là-dedans... n'y a que des naturalisés !... » Depuis, je l'ai interrogé, le copain, un brave garçon qu'est maintenant mobilisé... Il n'a pas été plus malin que moi !... Il n'a rien vu !... quand il a appris la fusillade de son ex-patron, il en est resté comme deux ronds de flan !... *Te parles !...*

Gérard, tout en faisant le tour de la maçonnerie grossière qui semblait murer ce trou, laissait Cellier bavarder... bavardage précieux qu'il écoutait avec une attention aiguë... Tout ce qui se rapportait à ce Bussein avait une importance sans égale, à ses yeux...

– Ce Bussein n'était pas souvent dans son magasin à Nancy ?

– C'est ce qui vous trompe, m'sieur Gérard !... De temps en temps il allait faire une tournée dans le pays, à bicyclette ou à motocyclette, mais quand il avait fini sa tournée chez ses clients de la campagne, comme il disait, et cela lui arrivait régulièrement une fois par mois, et cela ne durait pas plus de trois jours, il se tenait tout le reste du temps, du lundi au samedi, au magasin. C'est là qu'il recevait la visite que je vous ai dite. Souvent aussi il s'enfermait dans ce qu'il appelait son laboratoire de physique. Là, personne n'entrait que lui. Il nous racontait, à moi et aux quatre autres employés, quand il était de bonne humeur et qu'il était content de nous et que nous avions, à sa convenance, développé les épreuves des pellicules ou des plaques qu'un tas de clients plus ou moins catholiques nous apportaient, il nous racontait que ses travaux sur la *microphotographie* avançaient… À ce qu'il paraît qu'il avait trouvé un nouveau truc pour obtenir des images agrandies d'objets invisibles à l'œil nu, images qui donnaient l'illusion de la vision à travers un microscope… Enfin, il nous racontait ce qu'il voulait. On a appris depuis que tous ces travaux-là se résumaient dans de l'espionnage… un point, c'est tout !… *Te penses !…*

– Et quand il venait ici… qu'est-ce qu'il faisait ?…

– Oh ! on ne le voyait guère !… Il s'enfermait avec sa nièce… De temps en temps il faisait une petite promenade le long de la rivière… Il avait fait don d'une nappe d'autel au curé et distribué au maire un peu d'argent pour les pauvres de la commune… Il y a une chose qui m'a toujours frappé !…

– Quoi donc ?…

– C'est qu'il venait presque chaque fois avec une valise…

– Eh bien ?…

– Eh bien, c'te valise, il ne la remportait jamais… même que je me disais : il en a des valises, ce M. Bussein !… de toutes les formes et de toutes les couleurs !… Oui, j'avais fini par remarquer ça !…

– Très intéressant ! dit Gérard…

– Qu'est-ce que vous croyez, capitaine ?…

– Je crois que les valises devaient prendre le chemin de Berlin…

– Oui, ma foi !… des valises diplomatiques… *Te parles !* Eh bien ! vous n'avez rien trouvé ? Ce trou-là ne doit pourtant pas être là pour rien !…

Au même instant, ils entendirent distinctement, comme si on avait parlé dans la cave même où ils se trouvaient, ces mots en allemand :

– *Oh ! nous avons cherché par ici, Herr Direktor !…*

IV
Vingt-huit

Gérard mit sa main sur le bras du photographe. Et tous deux ne firent plus un mouvement, cherchant d'où pouvait bien arriver une voix aussi proche. Gérard avait éteint sa lumière. Une autre voix répondit à la première dans la même langue :

– *Meine Herren,* d'après les derniers renseignements, c'est ici ou en face que nous trouverons l'affaire ! En conséquence, il va falloir me secouer tout ça, je vous prie, et vite !... Si nous ne découvrons rien ici, il faudra, coûte que coûte, reprendre la blanchisserie, et le plus tôt possible !

– C'est ce que j'ai dit au *Herr Oberst,* Herr Direktor !

– Songez qu'à toute minute, ils peuvent tomber sur le pot aux roses !... Comment n'avons-nous connu cette frasque de Bussein que si tard ?...

– Herr Direktor, le Herr contrôleur volant a toujours eu ses petits secrets !...

– Je sais ! je sais !... mais c'était à vous de le surveiller !...

– On m'avait bien dit qu'il avait par ici une petite histoire d'amour...

– Justement... vous n'en êtes que plus coupable... vous savez qu'il est défendu à tout agent du service secret et, à plus forte raison, à un contrôleur volant d'avoir *une attache au cœur* !...

– En vérité, en vérité, je suis bien coupable !... et je m'excuse de ma faute devant le Herr Direktor !...

– Bussein nous a coûté très cher, la dernière année, mais nous ne regardions pas à l'argent. Il le gagnait et il en méritait davantage ! Le malheur est qu'il se soit méfié de nous et qu'il soit mort !... *et qu'on n'ait pas retrouvé le dossier H !...* Le *Polizeirath* m'a toujours dit qu'il avait pris ses précautions en cas d'accident et que *l'endroit du dépôt* se trouvait indiqué dans le dossier H d'une façon très précise par les soins de Bussein lui-même... Le Herr contrôleur volant ne voulait se séparer de son colis qu'au fur et à mesure des besoins, car il redoutait qu'une seule imprudence compromît toute l'affaire… et c'était assez compréhensible…

– Le Herr Direktor, dans cette affaire, n'a rien à se reprocher ! Tout cela ne serait pas arrivé si le *Polizeirath* n'était pas mort !

– Oui, le *Polizeirath* et l'*autre* !… Le malheur, le grand malheur est que tout le monde soit mort dans cette affaire-là !

– Et que l'on n'ait pas retrouvé le dossier H !…

– Évidemment ! Et que l'on n'ait pas retrouvé le dossier H !…

Il y eut un silence. Cellier comprenait suffisamment l'allemand pour ne rien perdre de la mystérieuse conversation. Gérard se pencha à l'oreille du photographe :

– Quoi que vous entendiez *encore,* lui dit-il, *vous me jurez de n'avoir rien entendu du tout !*

– *Te parles !*… Dites donc, capitaine, il me semble que j'ai déjà entendu cette voix-là quelque part, moi !… Si seulement, ils me faisaient le plaisir de parler français…

– Chut !…

– Ma fi !… les voix viennent d'en haut !… La voûte ne doit pas être bien épaisse. Malheur qu'on n'a pas un escalier !…

– Écoute !…

On remuait des objets assez lourds dans la pièce d'en haut… Il y eut des chocs sourds contre les murs et puis la première voix reprit :

– Je vous affirme qu'il n'y a rien à faire ici, *Herr Direktor…* j'espère davantage dans le travail des deux carriers de chez Thomas et David… Tenez ! voilà le père Fouare, avancez père Fouare !…

Ces derniers mots avaient été prononcés en français : « Tenez, voilà le père Fouare… avancez, père Fouare !… » Ce fut au tour de Cellier de prendre le bras de Gérard !

– Je reconnais la voix, fit-il. C'est le marchand de chaussettes !... C'est Barnef ! Il est de la bande !...

Alors une troisième voix se fit entendre. Elle était rude et répondait à une question du Herr Direktor !

– Je jure au Herr Direktor que moi, je ne sais rien.

– Le berger ! murmura Cellier.

– J'ai pu dire au Herr contrôleur, continuait le père Fouare, que les carriers de chez Thomas et David avaient travaillé à Chéneville pour le compte du Herr contrôleur volant parce que Mathieu, le colporteur, me l'avait dit et qu'il les avait vu entrer chez la blanchisseuse et qu'il les avait interrogés, mais je ne sais rien de plus, je le jure au Herr Direktor !

– Mathieu le Colporteur est mort ? fit le Herr Direktor.

– Mort ! Herr Direktor, et sa femme aussi, dit Barnef. Ils ont été trouvés assassinés dans leur voiture, en pleine forêt de Champenoux... quelques jours après la déclaration de guerre...

– Oui, oui, tout s'enchaîne...

– Tout cela a suivi l'affaire de la mort du *Polizeirath* la nuit de la réunion des saucisses, Herr Direktor !...

– Je sais ! je sais !... Eh bien, messieurs, allons voir un peu si nos carriers avancent !...

– Oh ! ils retrouveront bien le boyau qu'ils ont creusé sous la rivière !... Ils ne savent pas où il aboutit... Ils ne l'ont jamais su... Mais comme ils l'ont commencé, en face, sous le lavoir... En vérité, ils ne peuvent pas manquer de le rencontrer...

– Oui, et puis demain matin, s'il le faut, on reprendra le lavoir, coûte que coûte !...

– À vos ordres, Herr Direktor !...

– À vos ordres !...

On entendit le bruit sourd d'une porte qui se refermait et ce fut, à nouveau, le silence absolu…

– Là-haut, une trappe ! dit Gérard…

Au bout de son bras, la lanterne électrique éclairait, en effet, une trappe ou plutôt un trapillon, dessinant un petit carré dans la voûte grossière qui formait toute la superstructure de cette sorte de cave.

Ce trapillon se trouvait tout à fait dans le coin, dans l'angle du mur. C'est par là qu'arrivait, si directement, le bruit des voix supérieures. Les personnages qui étaient venus jusque-là devaient en ignorer l'existence, sans quoi ils l'auraient hâtivement soulevé et auraient eu tôt fait de trouver la galerie souterraine qu'ils cherchaient… et peut-être autre chose aussi…

Quoiqu'il en fût, la découverte de ce trapillon était des plus précieuses. Elle allait permettre de surprendre les Allemands, la nuit même, et de leur tomber dessus en plein travail…

– Va me chercher une échelle ! dit Gérard à Cellier.

Celui-ci disparut et Gérard resta seul. Il avait fait jouer à nouveau sa petite lanterne électrique et examinait maintenant, pied par pied, la terre du caveau.

« C'est bien juste, si j'arrive à temps, se disait Gérard. Nous sommes quelques chasseurs sur le même gibier. Il s'agit de ne pas nous le laisser voler. Mais encore une fois, ce gibier, quel est-il ? Moi, je l'ignore ; eux, savent exactement de quoi il retourne, ou tout au moins le *Herr Direktor*… C'est un immense avantage !… D'autre part, ils ignorent ce trou et ce trapillon… Nous allons bien voir ce qu'ils vont faire… Nous allons, en tout cas, essayer de les surveiller… et de les empêcher d'emporter tranquillement leur butin, s'ils sont les premiers à découvrir… ce que je cherche… »

Il en était là de ses réflexions, quand Cellier revint suivi de Théodore.

Tous deux apportaient une échelle. Fer-Blanc s'avança aussi, demandant si, par hasard, on n'avait pas besoin de ses services.

Gérard les garda tous les trois avec lui, et leur fit préparer leurs armes.

Lui-même sortit son revolver et commença de grimper à l'échelle que l'on avait dû incliner, à cause de sa hauteur, d'une façon excessive.

Or, il arriva qu'en raison de cette position l'échelle glissa, traçant dans la terre humide du caveau un sillon profond d'où sortit un grincement très désagréable à l'oreille.

Gérard, aussitôt, arrêta son ascension et sauta au pied de l'échelle.

Il se mit à genoux et, avec sa lanterne, examina attentivement cette terre singulière qui grinçait comme si l'échelle avait glissé sur du silex ou sur du fer.

Il creusa la terre avec ses mains, avec ses ongles. Il la rejetait avec rapidité et avec facilité car elle était relativement molle à cet endroit ; il était comme un chien de chasse agrandissant de ses pattes agiles le terrier où s'est tapie une proie épouvantée… Il releva un front en sueur et rayonnant !…

– De la tôle, dit-il, mon affaire est là !… Vite, aidez-moi !…

On déplaça l'échelle en conséquence et tous quatre se mirent hâtivement au travail. Fer-Blanc était allé chercher sa pelle et sa pioche.

En cinq minutes ils avaient mis à nu une vaste plaque de tôle qui semblait fermer une immense caisse recouverte de tôle elle aussi…

Gérard plaça Fer-Blanc à l'entrée de la galerie avec la consigne de ne laisser passer personne ; Théodore s'en fut grimper à son tour à l'échelle, et, placé sous le trapillon, tendre l'oreille au moindre bruit.

Avec sa baïonnette Cellier faisait sauter la serrure et aidé de Gérard soulevait l'énorme couvercle.

Cette caisse *Kolossal* avait été certainement construite dans le but d'isoler de toute humidité et toute moisissure ce qu'elle était destinée à renfermer.

La tôle recouvrait des parois de chêne épais.

Il est inutile d'essayer de décrire l'émotion avec laquelle Gérard lança son premier regard dans la nuit de cette caisse à peine éclairée par sa petite lanterne…

Cellier se jeta dedans, se baissa et dit tout de suite :

– *Les valises !... C'est les valises !...*

Et il en éleva une à la hauteur de Gérard qui s'en empara et se mit en mesure de l'ouvrir tout de suite !…

– *Te parles !* disait Cellier !… Il fallait bien s'en douter !… *Nenni ma fi !* Il devait bien les mettre quelque part !… Eh bien ! j'espère qu'on va trouver des documents là-dedans !… c'est tout de même un chouette coup, capitaine ! Tenez ! v'là encore une valise !… et pis en v'là une autre ! et une autre ! et une autre !… Ah ! celle-là je la reconnais, elle a voyagé entre le patron et moi au congé de Pâques, dans le courrier d'Arracourt… Y en a des petites… y en a des grandes !… y en a des moyennes… y en a pour tous les goûts !… *Te penses !…*

Mais elles étaient toutes assez ordinaires, n'ayant absolument rien de remarquable… si quelques-unes étaient en beau cuir, « en peau de cochon », d'autres étaient presque pauvres… indigentes… et c'étaient les plus nombreuses… de pauvres valises de domestiques…

La valise à laquelle « travaillait » Gérard était, en revanche, assez luxueuse, peut-être la plus luxueuse de toutes.

Elle était soigneusement fermée à clef et la serrure était tout à fait solide. C'est ce que remarqua Cellier. Le photographe remarqua également que toutes les autres valises avaient des serrures au moins aussi solides. Il ne put en ouvrir une seule et Gérard le pria, du reste, de cesser ses efforts.

– Une chose qu'est encore curieuse, fit Cellier, c'est qu'elles sont légères comme si elles étaient vides… Et cependant, il y a quelque chose dedans, *Nenni ma fi ! ça* remue !

– Ça y est ! fit Gérard avec un soupir…

Il ouvrit.

Il y avait là-dedans uniquement une serviette d'avocat, assez grande, avec un « soufflet » assez compliqué. Dans la serviette il trouva un appareil photographique, appareil portatif du modèle le plus ordinaire. C'était tout !…

Gérard et Cellier restèrent les bras ballants, devant cette valise ouverte qu'ils venaient de découvrir si mystérieusement, qui avait été cachée là si mystérieusement, et qui contenait si peu de mystère…

– Eh ben ! c'est tout ?… eh ben ! c'est tout ?… répétait Cellier, horriblement vexé, désappointé… C'est-y la peine de fabriquer une caisse pareille pour y cacher un appareil photographique comme on en vend dans tous les magasins pour quarante-cinq francs quatre-vingt-quinze !… *Te parles !*

Gérard s'était attaqué à une autre valise. Au bout de deux minutes, celle-ci aussi fut ouverte. Il ne trouva point dedans une serviette d'avocat mais un appareil photographique exactement semblable au précédent et retenu dans la valise par une courroie qui le serrait contre la paroi.

– C'est tout de même bizarre !… souffla Gérard…

Une troisième valise contenait un nécessaire de toilette, et, dans le nécessaire de toilette, encore un même appareil photographique !…

– Pour moi, fit Cellier, c'est des valises qui devaient servir à des espions pour aller prendre des photographies d'ouvrages fortifiés…

Gérard, se rappelant soudain ce que Cellier lui avait dit sur les travaux *de microphotographie* de Bussein, s'apprêtait à ouvrir l'un des appareils quand des voix se firent à nouveau entendre dans la cave supérieure...

Le Herr Direktor était revenu, continuant ses investigations et ne pouvant se résoudre à quitter ce coin dans lequel son flair d'espion en chef le ramenait sans cesse... Barnef était encore avec lui... Ils échangeaient des propos rapides et assez embrouillés que l'on comprenait mal...

Théodore, s'attendant à voir s'ouvrir le trapillon au-dessus de sa tête, avait allongé son flingot le long de l'échelle en frissonnant...

Fer-Blanc écoutait avec stupéfaction ce sourd baragouinage qui paraissait traverser la terre...

Gérard avait fait signe à tout le monde de se taire et à Cellier de redescendre les quelques valises sorties, dans lesquelles on avait reglissé les appareils, dans la grande caisse de tôle.

Puis ils avaient rabattu hâtivement et sans bruit le couvercle et jeté de la terre sur ce couvercle.

– As-tu compté combien il y en avait ? demanda Gérard à l'oreille du photographe...

– *Vingt-huit !*

Gérard tressaillit : ah ! il comprenait maintenant ce chiffre de vingt-huit, inscrit sur le plan du dossier H et, du même coup, cette coïncidence de chiffres, qui ne pouvait pas être le fait du hasard, lui apprenait que ce qu'il avait trouvé dans la caisse de tôle était bien ce qu'il cherchait, c'est-à-dire cette chose mystérieuse à laquelle l'État-Major français et l'État-Major allemand attachaient tant de prix, et : qui se trouvait si singulièrement indiquée dans le dossier H, dit encore dossier *Hache* !

Comme il avait hâte maintenant d'entendre s'éloigner « les gens du dessus ».

Quand il n'entendrait plus le Herr Direktor, avec quelle ardeur il examinerait à nouveau ces appareils photographiques et avec quel soin il les ferait mettre tout de suite à l'abri. Un gros pas fit trembler la terre au-dessus d'eux et une grosse voix, la voix rocailleuse du berger :

- Herr Direktor! Herr Direktor ! que le Herr Direktor vienne voir ce que les carriers ont trouvé !...

La cave au-dessus se vida...

Qu'est-ce que les carriers ont pu trouver ? Gérard veut le savoir !... Ont-ils trouvé *mieux que lui* ?... Ont-ils réellement trouvé quelque chose alors que lui croit si simplement avoir trouvé quelque chose, à ! cause d'une coïncidence de chiffres !...

Il faut savoir !...

Gérard prend la place de Théodore sur l'échelle ; de la pointe de la pioche que lui a passée Fer-Blanc et dont il s'est servi comme d'un levier, il a réussi à soulever le trapillon. Avant de disparaître il dit à Théodore et à Fer-Blanc.

- Vous vous ferez tuer avant qu'on ne touche aux valises, c'est entendu ?...

- Entendu ! dit Fer-Blanc.

Quant à Théodore, il ne répond pas parce qu'il n'aime pas beaucoup ce genre de conversation...

- Viens avec moi ! ordonne Gérard à Cellier. Et tous deux disparaissent par le trapillon qui est soigneusement et silencieusement rabaissé.

Fer-Blanc et Théodore restent seuls dans le caveau. Fer-Blanc a rallumé le lumignon dans la galerie. Ils se voient tout juste la figure.

- Tu fais une drôle de gueule ! dit Fer-Blanc.

- C'est que je trouve profondément ridicule, répond Théodore, que l'on vous dise de vous faire tuer pour des valises !...

V
Où il est parlé de « la femme de l'éperon Saint-Jean »

Gérard et Cellier, en débouchant du trapillon, se trouvèrent dans un coin de l'un des caveaux qui servait autrefois au *bougnat* à mettre sa provision de charbon.

Le sol en était encore tout noir et des morceaux de charbon roulaient encore sous le pied. Ce sol avait été creusé *ça et là.* C'était un miracle qu'un coup de pioche n'eût point révélé le trapillon bien ouaté de terre et garni lui aussi de poussière de charbon.

Dans ce caveau il y avait aussi des tonneaux qui avaient été éventrés ; les murs avaient été fouillés, démolis. Gérard s'avança rapidement, dès que le trapillon eut été soigneusement rabaissé par Cellier ; jusqu'à la porte massive qui retombait sur le caveau et dont le verrou gisait à terre.

Ils furent, Cellier et lui, dans un corridor souterrain sur lequel ouvraient une demi-douzaine de portes donnant sur autant de caveaux.

Soudain, ils n'eurent que le temps de se jeter dans l'un de ces trous.

Le Herr Direktor et Barnef entraient dans le corridor.

– Ce qu'ils ont trouvé, disait le Herr Direktor, n'est pas précisément ce que je cherche, mais peut y conduire... qu'ils rencontrent la conduite qui passe sous la rivière, et *après nous retrouverons bien le caveau* !... *C'est là qu'il avait certainement caché les valises !... Mein Gott !* si j'avais su l'histoire de la blanchisseuse plus tôt !... Vous êtes bien coupable, Barnef, bien coupable ! Enfin ! surveillez-les ! Vos hommes n'ont qu'à continuer à creuser... toute la nuit !... *L'Oberst* ne pense pas que les Français nous attaquent avant l'aurore !... Et surtout, si l'on trouve les valises, qu'on ne les ouvre pas et que l'on me prévienne tout de suite !... Bonsoir, Barnef !

– À vos ordres, Herr Direktor !...

– Ah ! dites donc ! envoyez-moi donc, aussitôt rentré à Metz, une douzaine de paires de vos chaussettes !... à ce qu'il paraît qu'elles sont très bonnes...

Barnef promit avec exaltation d'envoyer les chaussettes demandées et le Herr Direktor s'éloigna.

Barnef alla retrouver ses hommes.

Gérard, très rassuré et sûr, maintenant, du trésor qu'il possédait, voulut se rendre compte, avant de redescendre, de la sorte de travail auquel se livraient les terrassiers de Barnef... Cellier et lui suivirent à quatre pattes l'espion et durent bientôt s'arrêter...

Ils aperçurent, fantastiquement éclairées par deux lanternes posées sur le sol, deux têtes qui sortaient au ras du sol. C'étaient les deux carriers de la maison Thomas et David. Cellier les reconnut. Eux aussi étaient venus, certaines veilles de fête, au magasin de la place Stanislas et avaient eu des conciliabules secrets avec Bussein...

Pour le moment, ils étaient enfermés dans le trou qu'ils venaient de découvrir et qu'ils approfondissaient avec ardeur dans une direction oblique que leur indiquait Barnef et qui devait les conduire forcément à la rencontre de la galerie sous le ruisseau... Quelques minutes suffirent pour que les têtes disparussent. Les terrassiers s'enfonçaient de plus en plus dans cette terre d'où ils rejetaient les déblais au-dessus d'eux.

Alors Cellier montra à Gérard le père Fouare qui était Assis dans un coin, à quelques pas d'eux, sur un tas de pierres.

– Le berger ! fit le photographe.

– Je le connais ! souffla Gérard...

Barnef s'approcha avec précaution du père Fouare et lui dit :

– Tout ça ne serait pas arrivé et nous n'aurions pas eu tous ces ennuis à cause du Herr contrôleur volant si, le soir de la dernière réunion de saucisses, à l'auberge du Cheval-Blanc, le Herr conseiller de police n'était point venu nous trouver *pour l'affaire de l'éperon Saint-Jean*...

« Le Cheval-Blanc »... « l'affaire de l'éperon Saint-Jean »... Gérard allait partir. Il resta. Et il écouta avec une fièvre grandissante pendant que Cellier faisait le guet...

Le père Fouare, qui avait le menton enfoui dans son manteau et les deux mains sur son bâton, ne répondit point tout d'abord à Barnef, puis il secoua la tête, puis il dit :

- Tout le monde en est mort de cette affaire-là, et mon avis est qu'elle n'est point finie de sitôt !... Faut faire attention, nous en crèverons peut-être bien aussi, nous autres ! Faut pas faire les malins !... Rien ne marche trop bien en ce moment-ci !...

- Mais enfin !... vous, père Fouare ; insista Barnef, en s'asseyant sur une caisse à côté de lui, vous savez bien ce qu'il en est !... puisque c'est grâce à vous que nous n'avons pas tous été pincés !...

- Sûr que si j'avais eu le temps d'avertir le Herr contrôleur volant, mais il était déjà parti !... J'ai fait mon devoir, comme toujours !...

- Enfin, vous avez assisté à la chose !...

- C'est pas un secret !... Tout le monde l'a su !...

- Vous étiez dans la plaine, en bas de l'éperon Saint-Jean et par ordre !...

- Que ce soit par ordre ou autrement, j'y étais !... C'est pas un secret !...

- Donc on s'attendait à quelque chose... *à quelque chose que vous étiez là pour voir !...*

- Enfin, j'y étais, n'en parlons plus !... c'est pas un secret !...

- Si, parlons-en ! puisque ce n'est pas un secret ! *Vous avez dû être bien étonné quand vous avez regardé dans les débris de la voiture ?...*

Le père Fouare ne répondit pas...

- Écoutez, père Fouare... Vous savez que je ne suis pas un bavard... Il y a des choses qu'on ne peut pas dire au chef parce qu'on n'en est pas sûr et qui pourraient être utiles tout de même… *Eh bien ! on a parlé d'une femme !… d'une femme qui les aurait assassinés tous les deux !…* car enfin, ils étaient tous les deux déjà morts quand ils sont arrivés en bas !… Vous le savez bien ! Vous ne dites rien !… Vous avez tort ; si vous m'aidiez un peu, je pourrais être bien utile à tout le monde !…

Silence du père Fouare.

– Est-ce un secret qu'il y a là-dessous une terrible histoire de femme ?… Dites ! est-ce un secret ?… Vous haussez les épaules. Je sais que vous êtes très au courant et je voudrais ne pas faire de gaffes… Ça n'est pas vrai peut-être que c'est la femme qui a tout fait !… Elle avait, paraît-il, intérêt à les assassiner tous les deux !… Quand elle a été débarrassée de l'un qui la gênait pour certaines choses, elle s'est débarrassée aussi de l'autre qui en savait trop long !… Une femme, c'est terrible quand ça veut *et quand ça a des intérêts au-dessus d'un éperon aussi haut que celui-là !… d'où l'accident est si facile !…*

Le père Fouare ne bronchait toujours pas.

– Vous m'aideriez bien, père Fouare, en me disant si vous avez vu la femme… parce que vous m'éviteriez peut-être une gaffe, je vous le répète !…

– Eh bien ! se décida à dire le père Fouare, je vais vous rendre en effet un service, m'sieur Barnef… C'est vrai qu'il y a eu ce matin-là une femme… une femme qu'a regardé du haut de l'éperon Saint-Jean quand la voiture a culbuté… mais ne vous en occupez pas, c'est moi qui vous le dis… Le Herr Direktor connaît l'affaire aussi bien que moi, bien sûr, et encore mieux que vous, c'est certain !…

– Alors, c'est donc vrai ?… Vous avez vu la femme ?… *Vous savez qu'elle en est ?…* Eh bien ! elle a fait là un sale coup et qui nous a fichus dans un sale pétrin !…

– C'est vrai ! acquiesça le père Fouare en hochant la tête, je me rappellerai toujours la colère du Herr Direktor… j'ai bien cru qu'il allait avoir un coup de sang !…

– Et il y avait de quoi !... *Qu'elle ait tué l'autre : le père Hanezeau, c'était son affaire !... mais le Polizeirath !... Elle passait aussi pour la maîtresse du Polizeirath !...*

– Ça, c'est des histoires qui n'intéressent pas un berger !...

– Taisez-vous donc ! Faut pas me la faire avec vos moutons ! n'y a pas plus fin que vous !... Du reste vous *la* connaissiez bien ?...

– Je l'ai vue... comme je vous vois... mais de loin et je pourrais pas vous dire son nom, bien sûr !...

– Eh bien moi, je vais vous le dire son nom, parce que je suis moins méfiant que vous, père Fouare, et qu'il faut quelquefois s'entraider dans la vie !... et puis parce que je ne veux pas que vous me preniez pour un imbécile !...

Là-dessus Barnef se pencha à l'oreille du père Fouare...

Si aiguë qu'ait pu être à ce moment l'attention surexcitée de Gérard, il n'entendit point le nom. Et il eût donné sa vie pour le connaître !

Mais il était bien décidé à prendre celle de Barnef ou du berger s'ils se refusaient à le prononcer devant lui !... Il ne réfléchissait plus !... Il était comme fou !... Il venait d'apprendre que son père avait été assassiné !... et ces deux misérables connaissaient le nom de l'assassin !...

Sans même prévenir Cellier, il se précipita le revolver à la main en criant :

– Haut les mains !...

Mais au même instant une fusillade infernale éclata derrière les deux jeunes gens et il se rejetèrent dans le corridor où ils furent un instant pris entre deux feux.

Les deux carriers, sortis de leur trou, étaient venus à la rescousse du père Fouare et de Barnef. D'autre part, une douzaine de Boches se fusillaient dans le couloir avec des Français qui leur répondaient du caveau par lequel Gérard et Cellier s'étaient introduits dans les caves du bougnat... Les hurlements de douleur, les cris du commandement, les jurons des combattants complétaient le tumulte !

Quand on ne se fusillait pas à bout portant, les baïonnettes clouaient les combattants sur les portes. La rage fut telle de part et d'autre que l'on ne put bientôt plus se servir de ses armes. Sur les marches de l'escalier qui conduisaient à l'étage supérieur, on se dévorait littéralement, on se mordait, pendant que les mains étranglaient…

Gérard et Cellier roulés dans cette bataille inattendue furent d'abord emportés par le flot. Cellier tomba, la jambe traversée d'une balle. C'était Barnef qui la lui avait envoyée. Mais Cellier, en tombant, se retourna et, d'un coup de baïonnette, égorgea Barnef.

Gérard arriva trop tard pour détourner le coup !…

Le marchand de chaussettes tomba mort sur le corps du père Fouare qui râlait, une balle dans le crâne.

– Je n'ai pas de chance ! rugit Gérard, et il se précipita sur le berger dont il tira le grand corps dans un caveau latéral que n'ensanglantait pas encore cette lutte souterraine. Il souleva la tête agonisante.

– Le nom ! le nom ! lui cria-t-il… Tu ne me reconnais pas, père Fouare !… c'est moi, le petit Hanezeau !… Dis-moi le nom de celle qui a tué mon père !… le nom de la femme de l'éperon Saint-Jean ?… Tu ne vas pas mourir sans m'avoir dit son nom, peut-être !…

Le vieux berger ouvrit la bouche et Gérard put croire qu'il allait parler, mais il expira.

Gérard poussa un affreux gémissement puis se releva d'un bond :

– Hardi l'infernale ! hurla-t-il…

Il lui semblait maintenant qu'il vengeait son père, assassiné par les espions boches… Jamais il ne s'était battu avec une pareille fureur.

Comme il n'avait plus de balles dans son revolver, il prit le fusil de Cellier dont la baïonnette était brisée et s'en servit comme d'une massue...

Mais le carnage ne calmait point sa fièvre...

Soudain il pensa aux *précieux colis* dont il avait laissé la garde à Théodore et à Fer-Blanc, et il jugea qu'il était de toute urgence de les faire transporter en lieu sûr. C'était là une besogne dont il ne pouvait charger personne.

Il parvint à se glisser jusqu'au caveau, jusqu'au trapillon et se retrouva dans le trou, *devant la caisse de tôle vide* !

À côté, le cadavre de Fer-Blanc et, dans un coin, contre le mur, Théodore qui redressa la tête en l'apercevant.

Gérard souleva le buste de son ami avec une angoisse indicible. Mais hélas ! le malheureux garçon avait déjà le hoquet.

Théodore parvint cependant à dire à Gérard en s'y reprenant à plusieurs fois :

– Sois content ! je crève à cause de tes sales valises !...

– Où sont-elles ?...

– Est-ce que je sais ?... râla Théodore avec un terrifiant sourire. Tu en retrouveras d'autres chez un marchand de malles !...

– Les Boches les ont prises ?...

– Oui... à peine étiez-vous partis... ils nous sont tombés dessus par le trapillon... Fer-Blanc aussitôt a donné le signal... Ils l'ont zigouillé tout de suite !... On s'est battu dans la galerie... Pendant ce temps-là, ils fouillaient partout, n'ont pas eu de peine à découvrir la maroquinerie !...

– Et toi, mon pauvre vieux ?...

– Moi, j'aurais bien fichu le camp ! *mais j'avais peur de passer pour un lâche auprès du cadavre de Fer-Blanc !...*

Et il s'arrêta de hoqueter. Celui-là aussi était mort. Gérard l'embrassa et lui ferma les yeux. Il enviait son sort. Il retourna se battre mais ne parvint pas à se faire tuer ; et le lendemain, ayant reconquis son sang-froid, il en remercia le ciel car il lui restait toujours à démêler le mystère du dossier H et de la pseudo-trahison du général Tourette.

Enfin, il avait un devoir nouveau : celui de venger son père !

VI
La rue du Téméraire et la rue de la Commanderie

Quand Gérard pénétra dans Nancy, il croyait entrer dans une ville à peu près déserte. Elle avait vu l'ennemi à ses portes et, pendant trois semaines, n'avait cessé d'entendre le grondement du canon. Mais Nancy n'avait point connu la peur. Il y trouva non seulement une animation souriante mais triomphante.

Depuis la bataille de la Marne et la victoire du Grand-Couronné, Nancy, comme toute la France, comme le reste du monde, respirait librement, heureusement ! L'épouvantable cauchemar s'était dissipé ! Le Barbare avait reculé pour toujours !...

On prenait beaucoup de bocks (de la bière française) dans les brasseries du faubourg Saint-Jean. Certes, on pouvait dire que la plus lugubre figure de tout Nancy, au moment où Gérard quittait l'hôpital militaire pour se diriger vers la rue du Téméraire, était bien celle de Gérard lui-même !

Était-ce la visite qu'il venait de faire à ce pauvre Mathurin Cellier qui l'avait attristé de la sorte ? Ce n'était guère probable, attendu que « ce pauvre photographe » était, lui, gai comme un pinson, heureux d'avoir été évacué, avec la protection de Gérard, sur un hôpital militaire d'une ville où il avait toutes ses affections et toutes ses affaires ; et tout à fait rassuré sur son sort puisque les « toubibs » promettaient la guérison complète dans trois semaines, à lui qui avait craint un instant qu'on lui coupât la jambe.

Était-ce sa propre blessure qui faisait souffrir Gérard ? Mon Dieu non ! l'épaule avait été déchirée légèrement, mais il n'en aurait certainement jamais parlé à personne si, grâce à cette égratignure, il n'avait obtenu un congé de quinze jours qu'il était allé demander en grand secret à son général.

Était-ce le souvenir de Théodore expirant dans ses bras ? Peut-être, car il avait eu une réelle affection pour Théodore, mais enfin il avait eu à subir d'autres deuils depuis deux mois, et, à la guerre, il lui avait été donné d'assister à des spectacles tout aussi douloureux que ce malheureux trépas, lequel n'avait point empêché, du reste, l'enlèvement des valises...

Était-ce le sentiment de l'impuissance où il était à démêler tout seul le sombre mystère du dossier H et la nécessité où il allait être de livrer un document qui mettait si terriblement en cause le père adoptif de celle qu'il aimait ?...

Évidemment, il devait y avoir de cela, de tout cela dans la tristesse de Gérard, mais il y avait par-dessus tout cela l'horrible pensée qu'on lui avait assassiné son père !...

Son père qu'il se reprochait maintenant de n'avoir pas assez aimé... son père qu'il avait failli un instant méconnaître et dont il avait failli douter ! Son père qui avait été la première victime de l'espionnage allemand ! Son père qui était tombé sous les coups d'une fille vendue à l'Allemagne !...

Qui était cette fille ?... Quelle femme était celle-là ?... Elle avait été la maîtresse de Kaniosky !... Kaniosky et elle se seraient entendus pour tuer son père !... Et elle aurait tué Kaniosky ensuite !... Et elle les aurait précipités tous les deux du haut de l'éperon Saint-Jean !...

Certains avaient vu cela !...

On en parlait dans l'ombre !...

Et cette ombre désespérante, dans laquelle il pénétrait pour la première fois, s'éclaircissait singulièrement devant Gérard... Il ne doutait plus que le drame se fût passé ainsi... car il se rappelait comme si la chose avait eu lieu la veille... il se rappelait sa rencontre avec l'auto conduite par Kaniosky... l'auto de son père... Et il avait demandé à Kaniosky : « Que faites-vous donc sur ce siège ?... Qui conduisez-vous donc ainsi dans l'auto de mon père ?... » Et Kaniosky avait répondu avec un affreux sourire :

« C'est votre père *qui est en bonne fortune* ! »...

Et l'auto avait tous ses stores baissés...

Son père était donc enfermé là-dedans avec cette femme... et, à ce moment-là, *son père était peut-être déjà mort* !...

Ah ! cette femme !... cette courtisane !... cette espionne, qui donc lui en apprendra le nom ?... Il pense que cela lui sera tout de même assez facile de le savoir en faisant les enquêtes nécessaires... Les maîtresses de son père étaient connues... Hanezeau ne les cachait guère, bien qu'il ne les affichât point non plus... Le père de Gérard était de mœurs assez larges... Il avait les mœurs du temps... mais, pensait Gérard, c'était un brave homme d'affaires qui devait finalement se faire rouler et se faire assassiner par une aventurière !...

Tels sont les sombres pensers qui font à Gérard une figure si lugubre...

Tout de même ce visage ne va-t-il point s'éclaircir en approchant de cette rue de la Commanderie, en pénétrant dans le faubourg Saint-Jean, en tournant le coin de la rue du Téméraire !

La rue du Téméraire est une rue assez courte qui joint le faubourg Saint-Jean au faubourg Stanislas.

C'est une rue tranquille, bordée de maisons bourgeoises. Ces murs de brique ne sont point rayonnants, certes ! mais il y a le sourire de Juliette, derrière...

Quand Gérard eut appris que sa mère avait décidé de ne plus habiter Vezouze « tant que le Kaiser serait vivant », il lui avait conseillé d'aller s'enfermer dans la petite maison de la rue du Téméraire qui lui avait été léguée personnellement par la grand-mère Vezouze et dans laquelle elle avait passé les premières années de sa jeunesse.

Cette petite maison avait un délicieux jardin de curé entouré de hauts murs ; et, puisque Monique ne voulait pas s'éloigner de cette Lorraine où son fils combattait, au moins, pourrait-elle, là, soigner une santé fort délabrée par les derniers événements.

Monique, de son côté, avait télégraphié à Martine (la sœur de ce pauvre François) de venir la rejoindre aussitôt ; et la vieille Martine était accourue.

Martine était une cousine germaine de la Madeleine qui servait la tante Vezouze à Metz. Et elle était dévouée à Monique comme Madeleine l'était à sa maîtresse. La douleur qu'elle avait de la mort de François l'avait accablée, mais elle trouva des forces encore pour servir Monique qui, physiquement et moralement, paraissait, disait-elle, moult plus malade qu'elle !

Enfin, quand Gérard, après la dernière tribulation de l'infernale à Vezouze, eut décidé Juliette, sérieusement souffrante elle-même, à abandonner l'uniforme des Diables bleus pour rentrer à Nancy, c'est chez sa mère qu'il l'avait envoyée, dans la petite maison de la rue du Téméraire et non dans l'hôtel froid et nu de la rue de la Commanderie, qui était la propriété du général Tourette et qui devait être fermé comme tous les étés, et surtout en ce moment où le général faisait campagne...

Juliette n'avait fait aucune objection à cette combinaison et était partie immédiatement par Nancy.

Depuis, Gérard n'avait reçu aucune nouvelle, ni de sa mère ni de Juliette.

Quand il sonna et que la porte s'ouvrit sur l'allée du milieu du jardin de curé, il se demandait quelle figure il allait voir tout d'abord apparaître ; celle de sa mère ou celle de Juliette ?... De quelle bouche allait sortir le premier cri heureux qui allait saluer son arrivée inattendue !...

Peut-être allait-il les apercevoir en même temps, toutes deux appuyées l'une sur l'autre, bonne, douces et mutuellement consolatrices et si belles toutes deux !...

Il ne vit que la figure parcheminée de la vieille Martine aux paupières brûlées de larmes...

Martine joignit les mains :

– Que le bon Dieu soye béni, m'sieur Gérard... puisque vous v'là !...

– Bonjour, ma bonne Martine, comment va Madame ?

– Mal, m'sieur Gérard, très mal ! mais c'est bien de sa faute, allez !... Elle ne sort jamais de sa chambre même pour faire un tour de jardin... On dirait qu'elle veut se faire mourir !... Elle n'a pas descendu deux fois « l'escali » depuis que je suis arrivée ici !...

– Mademoiselle Juliette ne devrait pas lui permettre de s'enfermer comme ça !...

– Mam'zelle Juliette ! Ah ! ben ! parlons-en de mam'zelle Juliette !... C'est tout juste si nous l'avons vue une fois ici dix minutes, le jour de son arrivée... et puis depuis on n'a même pas seulement entrevu le bout de son nez !... Elle s'moque pas mal de nous, mam'zelle Juliette !...

– Qu'est-ce que vous me dites là, Martine ? Juliette n'habite pas avec vous ?

– Ma fi non ! m'sieur Gérard... je peux vous le dire, c'est la vérité ! Ça a l'air de ben vous étonner...

– Conduis-moi auprès de ma mère, Martine...

Gérard trouva sa mère dans sa chambre, au fond d'un fauteuil ; elle avait l'air d'une morte, et, dans ses voiles noirs, de porter son propre deuil.

Gérard ne put s'empêcher de reculer devant ce fantôme qui s'était levé à son approche et lui tendait les bras.

– Eh bien, lui dit la voix douce de Monique, tu ne viens pas m'embrasser, mon enfant ?...

– Mère, vous êtes malade !... Je ne vous reconnais plus. Vous n'êtes plus que l'ombre de vous-même !... que vous est-il arrivé, mère ?...

Et il l'embrassa en sanglotant. Elle aussi pleurait. Elle ne lui répondit pas... Il disait, à travers ses larmes :

– Que vous est-il arrivé depuis la dernière fois que je vous ai vue à Vezouze ?... Notre victoire vous avait faite si belle et si joyeuse !... Vous sembliez avoir oublié toutes vos peines, tout votre deuil !... Vous étiez heureuse, comme nous devons tous l'être en France, depuis ce jour béni !... Maman ! maman ! je ne te reconnais plus !... Parle-moi ! Dis-moi quelque chose !... Tu pleures !...

Elle finit par lui dire :

– Tu vois bien que c'est de joie… Tu vois bien que j'étouffe de joie !… Gérard, je n'avais aucune nouvelle de toi !… et je me faisais des idées !… de tristes idées !… Je ne peux plus vivre sans toi !… non, c'est fini, je sens que je ne peux plus vivre sans toi !… Je ne vis plus que pour toi !… Si tu meurs pendant cette guerre maudite, je mourrai avec toi, en même temps que toi !…

– Avant moi, ma mère !… Oui, vous mourrez avant moi si vous continuez ce régime extraordinaire… Pourquoi cette solitude, cet abandon ?… Pourquoi pas réagir ?… Vous devriez sortir, vous occuper des blessés !… d'œuvres charitables, est-ce que je sais ?… Comme le dit Martine, vous n'êtes pas reconnaissable, ni physiquement ni moralement !…

– Mon enfant, je me sentais trop faible moi-même pour avoir le courage d'aller soigner les autres… mais maintenant que je t'ai vu, cela ira mieux !… je te promets d'être raisonnable !…

– Comme vous êtes étrange !… Moi qui vous ai vue si ardente à Vezouze !… Et Juliette, pourquoi n'est-elle pas ici ?

– J'ai vu Juliette, elle est venue me dire bonjour !…

– Mais il était entendu avec elle que vous ne deviez plus vous quitter !…

– Qu'est-ce que tu dis là ? Elle ne m'a rien dit de cela !… Elle est allée, comme c'était tout naturel, du reste, chez son tuteur, rue de la Commanderie !…

– Ce n'est pas si naturel que cela !… Elle doit être toute seule, rue de la Commanderie… le général n'est pas là, et il est inadmissible qu'elle habite cette grande maison toute seule !…

– Oh ! il y a Gaspard, le vieux jardinier…

– En voilà une compagnie !… Et vous n'avez pas insisté pour qu'elle reste avec vous ?…

– Mon Gérard, je n'aurais certainement pas demandé mieux… mais il n'en a même pas été question !… Elle est, du reste, très occupée… Elle s'est mise de la Croix-Rouge… les blessés, l'hôpital lui prennent tout son temps… Il est question de la décorer, tu sais, pour sa belle conduite à Brétilly-la-Côte… j'en serais bien heureuse…

– Et elle n'est pas revenue vous voir, c'est incroyable. Vous trouvez naturel qu'elle ne soit pas revenue vous voir ?

– Je te dis qu'elle passe ses jours et ses nuits à l'hôpital…

– Vous l'excusez bien facilement ! Ses journées et ses nuits à l'hôpital ! Comment le savez-vous ?…

– C'est Martine qui me l'a dit.

– Martine est aussi étonnée que moi de la conduite de Juliette. Et elle m'a affirmé qu'elle n'a plus aperçu le bout de son nez !

– Eh bien ! elle l'aura appris en ville. Mon bon Gérard tu ferais un terrible juge d'instruction !… je te demande pardon, mais ton interrogatoire me fatigue…

– Je te demande pardon, maman !…

Il l'embrassa encore. Elle lui dit :

– Tu as sans doute quelques jours de congé ?… *Ah !* Tu les passeras avec moi !… Tu ne me quitteras pas !… Tu veux que je sorte, je sortirai ! Nous sortirons ensemble !… Je suis si fière de toi !… Je te montrerai à tout le monde !… Tu verras comme je vais bien me porter !… Tout ça, mon pauvre chéri : c'est les nerfs !… Mais quand j'aurai mon fils à mon bras, le chef de l'infernale, le lieutenant Gérard, décoré de la Légion d'honneur !… Tu verras comme je vais redevenir belle !… Tout de suite ! Tiens ! c'est fait !… Regarde-moi !… me voilà belle et rose !

Et elle se mit à rire et à pleurer en même temps.

– Ah ! mes pauvres nerfs ! mes pauvres nerfs !…

– Pleure, ma maman !… Cela te fera du bien !… Oui, ma pauvre maman, vos nerfs ont dû être mis à une rude épreuve. Quand je pense que l'on vous a demandé cela… sous prétexte que vous connaissiez l'empereur et que vous aviez été plusieurs fois reçue à la cour ! Quelle mission ! le recevoir à votre tour chez vous à

Vezouze... et si possible *lui voler un document* !... Et vous avez accepté de tenter une chose pareille !... Ah ! oui, j'y ai bien souvent pensé depuis !... Vous avez plus de courage que nous tous, maman !... Ce que vous avez fait là dépasse tout ce qui peut s'imaginer en héroïsme !... Permettre au monstre de vous approcher, se forcer à lui sourire !... puis se glisser chez lui, la nuit, *comme une voleuse* ! au risque d'être surprise et d'être livrée à l'on ne sait quel supplice !... Ah ! je comprends, maintenant, ma mère !... Je comprends ton anéantissement !... Je comprends qu'après l'exaltation d'un geste pareil, vous puissiez en mourir !... Eh bien, il faut avoir la volonté de vivre, maman !... *et me promettre de ne plus penser à cela !...*

– Qu'as-tu fait du dossier ? demanda Monique.

– Il est là ! répondit Gérard en montrant sa tunique.

– Crois-tu bien que c'est sa place, Gérard ?...

– Non, ma mère, je me reproche amèrement de l'avoir gardé pendant ces quelques jours...

– As-tu découvert quelque chose ?...

– J'ai failli découvrir quelque chose... et puis la vérité que je cherchais et que je tenais peut-être m'a glissé dans les doigts... je me reproche d'avoir tenté une chose, sans doute, au-dessus de mes forces, et qui, peut-être, ne me regardait pas !... Je ne veux pas être plus coupable plus longtemps... c'est pour cela que j'ai demandé quelques jours de congé...

– Alors, tu vas me quitter ?...

– Hélas, maman, il le faut !...

– Puis-je savoir où tu vas ?

– Oui, chez le général Tourette !...

– Ah !... et puis-je savoir ce que tu vas faire chez le général Tourette ?...

– Je vais lui remettre le dossier !...

- Ah !...

- Évidemment ! vous ne pensez pas que je vais l'espionner ?... Vous ne doutez pas de l'innocence du général Tourette ?

- Je n'en doute pas !...

- *Et vous ne doutez pas qu'ayant reçu le dossier, le général Tourette ne le remette à ses supérieurs ! vous n'en doutez pas ?...* Ainsi, le dossier ira où il devrait être déjà et, du moins, je n'aurai pas dénoncé lâchement le général Tourette !... Non seulement je ne l'aurai pas dénoncé mais encore je l'aurai prévenu de l'infamie dans laquelle on voulait le faire tomber... Je lui dirai que c'est vous qui avez trouvé le dossier à Vezouze, dans l'appartement occupé par l'empereur, je dirai que vous venez de le découvrir seulement et qu'il avait été abandonné là, dans le désarroi de la fuite impériale... De cette façon, on ne s'étonnera point que je l'aie gardé quelques jours sur moi, sans en parler à personne !... Ce que j'ai fait là est un crime !... L'amour me l'a fait commettre... je m'en rends compte maintenant... mais je n'ose m'en accuser que devant vous !... Ah ! j'ai hâte de remettre ce document entre les mains du général qui lui saura mieux faire son devoir que je n'ai fait le mien... Ne trouvez-vous pas qu'en agissant ainsi, j'agis en honnête homme ?...

Monique pensa : « Il agit encore en amoureux », mais elle concevait ce qu'il y avait de répugnant pour cette âme droite à livrer un document aussi infâme que celui qui accusait le général Tourette à un autre que le général Tourette, et comme elle ne doutait pas de l'innocence du général, elle non plus, elle ne fit aucune objection à l'acte que préméditait son fils.

- Oui, fit-elle, tu auras agi comme un honnête homme !... Viens m'embrasser, Gérard !

Il l'embrassa et elle le laissa partir. On le sentait horriblement préoccupé de cette affaire et la conscience singulièrement tiraillée.

Oui, il fallait qu'il partît !... et qu'il agît !... et vite !

Quand, s'étant mise à la fenêtre pour voir son fils une dernière fois, elle aperçut son pauvre visage de douleurs et d'angoisses, elle retomba sur son fauteuil dans une détresse plus grande encore que celle où elle se trouvait une heure auparavant...

Elle pensa qu'il ne lui avait point dit...

Enfin, elle ne savait pas où cette nouvelle affaire pouvait les conduire, mais elle entrevoyait un nouveau gouffre et elle n'avait plus la force, cette fois, de résister au vertige ! Elle se sentait tomber dans le noir... dans le noir... et dans le rouge !...

De son côté, Gérard était venu avec l'intention de ne point cacher à sa mère ce qu'il avait appris relativement à l'assassinat du père, mais le triste état dans lequel il avait trouvé Monique l'avait arrêté sur le seuil de cette affreuse confidence...

En sortant de chez sa mère, il se rendit rue de la Commanderie. Non seulement il n'était point content de la conduite de Juliette, mais encore il ne la comprenait pas, et c'est, très douloureusement intrigué, qu'il sonna à la porte du vieil hôtel.

Ce fut Juliette elle-même qui vint lui ouvrir. Elle lui sauta au cou. Il l'embrassa tendrement et chastement, puis, quand ils furent tous deux assis cérémonieusement dans le vieux salon qui sentait le moisi et dont elle poussa un volet pour qu'ils ne restassent point dans la pénombre et qu'elle pût bien voir la figure de Gérard (qui ne lui paraissait pas « catholique »), elle lui dit :

–. Mais dis donc ! quelle figure tu fais ?... Tu n'es pas blessé ?...

– Légèrement à l'épaule et je ne m'en plains pas, puisque c'est grâce à cette blessure que j'ai pu venir ici vous embrasser toutes deux, maman et toi... À ce propos, j'ai été bien étonné de ne pas vous trouver ensemble !

– Ah ! voilà le secret de ce profil allongé... de ces gros yeux en capote de cabriolet !...

– Juliette !... Ne plaisante pas... Maman est très malade !...

– Cela t'étonne ?... Mais, mon cher, tout le monde est malade par le temps qui court !... Est-ce que je ne suis pas malade, moi ?... Et je soigne des malades !...

- Non, ma petite Juliette..., tu n'es pas malade... Tu as une mine charmante et ta santé me paraît tout à fait rétablie. Alors, puisque tu soignes des malades... tu pourrais bien soigner ma mère !...

- Je te dis que je me dois à la patrie !... c'est-à-dire aux hôpitaux !... Ah ! si ta mère était à l'hôpital et si elle avait été blessée à la guerre !...

- Si tu savais dans quel triste état est maman, ou si seulement tu pouvais t'en douter, tu n'aurais pas le cœur de parler ainsi, Juliette !... Mais, quand tu es arrivée à Nancy, et malgré ce que tu m'avais promis, tu ne t'es arrêtée que quelques minutes chez ma mère et tu ne t'es plus occupée d'elle...

- Je t'affirme qu'elle ne m'a pas parue aussi souffrante que tu veux bien le dire...

- Martine m'a dit, en effet, qu'elle n'était devenue vraiment malade qu'après ta visite !

- Ah !...

- Pourquoi n'habites-tu pas rue du Téméraire comme tu me l'avais promis ?...

- Bien simple ! c'est le général qui ne l'a pas voulu.

- Pourquoi ?...

- Pour plusieurs raisons... D'abord, il a prétendu que ce n'était pas convenable !

- Pas convenable d'habiter avec ma mère ?

- Pas convenable parce que, toi, tu pouvais venir d'un moment à l'autre !...

- En voilà une histoire !... Je ne t'aurais pas mangée !

- Non ! mais les voisins auraient bavardé et, à ce qu'il paraît, si tu avais été là, ma réputation, à laquelle le général tient beaucoup, en aurait souffert !...

– Tout le monde sait que nous devons nous marier !...

– C'est ce que j'ai répondu au général qui m'a répliqué que si tout le monde le savait, il l'ignorait encore, lui !

– Saperlotte ! il est vraiment extraordinaire, ton tuteur ! est-ce que ma mère pouvait faire une demande officielle en plein deuil de mon père ?... Enfin la guerre est venue qui a empêché que l'on s'expliquât davantage...

– Eh bien ! oui ! tu vois que le général a besoin d'explications... En attendant qu'on les lui donne... il garde sa pupille dans son vieil hôtel !... Enfin, tu le connais !... Tu sais s'il est pointilleux, susceptible pour tout ce qui concerne l'honneur !... Son honneur ne lui permet point d'avoir l'air de jeter sa nièce dans les bras de la famille Hanezeau !...

– Pourquoi ? demanda Gérard en pâlissant...

– Parce que la famille est trop riche pour lui !...

– Si ce n'est que cela, je donnerai ma fortune aux pauvres !...

– Pas tout ! s'exclama Juliette en éclatant d'un rire jeune, frais, adorable !... Gardes-en pour notre voyage de noces !...

– Ma Juliette !...

– Mon Gérard !... Ce que nous avons l'air bête tous les deux !... Nous sommes en visite, mon chéri !... Tiens-toi bien, mon cher !... Les vieux portraits de famille nous regardent, ma chère !... Quand je pense que nous sommes ici dans ce salon et que nous avons eu toutes ces aventures !... Eh bien, tu sais, nous sommes revenus de loin, mon cher !... Aussi, ma chère, j'ai trouvé que tu étais ingrat envers le ciel quand je t'ai vu arriver avec cette figure longue d'une aune !... Monsieur était venu pour me faire une scène, ma chère !... Est-ce que monsieur est calmé, mon cher ?...

– Juliette, promets-moi d'aller voir maman !...

– C'est elle qui te l'a demandé ?...

– Ma foi non ! Comment veux-tu ?… Tu l'abandonnes, elle est trop fière pour se plaindre ! mais je suis sûr que tu lui fais de la peine…

– Tu t'imagines cela !… Une petite fille comme moi ne compte pas pour une femme comme ta mère !… je suis persuadée, au contraire qu'elle s'est très bien arrangée de mon absence !…

– Ah çà ! mais, Juliette ! Il y a eu quelque chose entre ma mère et toi !

– Es-tu fou ?…

– Je ne suis pas fou !… Évidemment, il y a eu quelque chose, sans quoi ta conduite ne s'expliquerait pas !…

– Je t'affirme, réplique Juliette, très sérieusement et quittant tout badinage, qu'il n'y a rien du tout !

– Et moi, je te dis que tu me caches quelque chose !… Ma mère t'a-t-elle froissée sans le savoir ?

– Nullement !

– Cela m'étonnerait car elle a toutes les délicatesses.

– Toutes les délicatesses !…

– Comme tu dis cela !…

– Mais très naturellement, et je te prierai, une fois pour toutes, de ne voir dans mes réponses que ce qui s'y trouve… surtout quand il s'agit de ta mère… Je sais que tu l'aimes et je ne comprends pas que tu puisses imaginer que je veuille te faire de la peine !…

– Mais toi, tu ne l'aimes pas !…

– Ah ! tiens ! tu es insupportable !… ».

– Enfin, iras-tu la voir ?…

– Non ! le général me l'a défendu !…

– Ça, c'est trop fort !… Et pourquoi ?…

– Mais pour la raison que je t'ai dite tout à l'heure… Tu ne vas pas me faire rabâcher peut-être !…

– C'est bon ! je parlerai au général !…

– Oh ! le général ne va pas revenir demain !…

– Non ! mais je vais le voir aujourd'hui !…

– Toi ! tu ne sais même pas où il est !…

– Si !…

– Où ?

– À Bar-le-Duc !…

– Tu sais tout !…

– Non, puisque je ne sais pas ce qui vous divise en ce moment, ma mère et toi !… car, quand j'y réfléchis, ma mère n'a pas plus insisté pour que tu viennes la voir que tu n'insistes, toi, pour y aller !… Ah ! les femmes !… Il y a des moments où vous nous rendez bien malades, allez !…

– Tu en as de l'imagination !… J'irai la voir, ta mère, là, tu es content ?… et malgré la défense du général !… Tu vois ce que je risque pour toi, mais au moins tu ne croiras plus qu'entre ta mère et moi, il y a quelque chose qui nous divise !…

– Ce que je vais l'attraper, le général !…

– Tu vas réellement le voir ?…

– Mais je pars immédiatement pour Bar-le-Duc !…

– Sérieusement ?

– Sérieusement… et si tu as une commission à me donner pour lui ?…

– Tu l'embrasseras de ma part !…

– Je ne me vois pas lui disant : « Mon général, permettez-moi de vous embrasser de la part de Mlle Juliette ! »

– Eh bien ! si tu lui disais que tu m'avais embrassée !

– Je le lui dirai !...

– Je ne te le conseille pas !...

– Je le lui dirai, je te le jure !... Ah ! à la fin, il m'embête, ton tuteur !... J'ai bien le droit d'embrasser ma fiancée, tout de même !... Ma femme !... Enfin, il sait bien que tu seras ma femme !... Et s'il en doute, je te prie de croire que ce soir, il sera convaincu !...

– Si tu crois qu'en ce moment, il a le temps d'écouter tes balivernes !...

– Tu appelles ça des balivernes ?...

– Dame, oui, en temps de guerre !... Tu t'en vas déjà ?

– Mais oui... c'est l'heure du train...

Ils s'embrassèrent longuement et ne s'arrachèrent point des bras l'un de l'autre sans un gros soupir. Ils s'adoraient.

– Alors, tu vas chez maman ?...

– Oui, je te le promets !...

Il partit. Elle n'y alla pas.

Elle lui avait dit tout ce qu'elle avait à lui dire.

VII
En Argonne

Gérard trouva Corbillard à la gare. L'ex-bedeau-fossoyeur-appariteur, devenu ordonnance de Gérard, avait, lui aussi, son congé régulier. Il n'avait pas voulu accompagner Gérard rue du Téméraire.

Il avait appris que la sœur de François s'y trouvait et elle n'aurait point manqué de lui redemander tous les détails du drame de Brétilly-la-Côte, détails qu'il voulait lui-même oublier tant ils lui faisaient horreur !

« Faut plus repenser à tout ça, disait-il, sans quoi on ne retournerait plus à la guerre et nous sommes encore loin d'en avoir fini avec ces cochons-là ! »

Munis de tous les papiers nécessaires, Gérard et Corbillard descendaient quelques heures plus tard à Bar-le-Duc. Là, Gérard apprenait que le général Tourette était, depuis la veille, en pleine Argonne, et qu'il avait grand-chance de le trouver dans le petit bourg de Vigne ou aux environs.

Il put louer une auto qui avait échappé à la réquisition et partit immédiatement en campagne avec son fidèle Corbillard.

Le trajet fut long parce que les routes étaient encombrées de tout ce formidable service de l'arrière qui ne faisait que grossir au fur et à mesure qu'ils approchaient du front.

C'était une suite ininterrompue de véhicules de toutes sortes, d'autos et d'autobus marchant à la queue leu leu comme des chenilles, train venant de la station-magasin de l'intendance, trains alimentant les trains régimentaires des corps, trains régimentaires approvisionnant journellement les unités... C'étaient des régiments de bœufs qui s'en allaient vers des centres d'abattage... enfin, c'étaient les troupes de relève... et celles qui revenaient du front...

Ils pénétrèrent bientôt dans des chemins forestiers couverts d'un liquide jaunâtre, enduits d'un mastic qui se collait désespérément à la voiture comme s'il avait juré de la retenir...

Depuis longtemps le bruit du canon ne les quittait plus.

Ils eussent pu croire qu'ils étaient au centre de la bataille et ils n'étaient encore que dans sa coulisse.

Du reste, Gérard ne s'attardait point à faire des observations inutiles ; il était déjà trop au courant des services d'arrière des armées pour avoir des curiosités excessives. Ce qu'il voulait, c'était retrouver le général Tourette au plus vite !

Il avait décidé de ne point passer la nuit sans s'être débarrassé de ce dossier qu'il se reprochait avec tant de raison d'avoir gardé trop longtemps sur lui !

Les reproches de sa conscience se faisaient de plus en plus aigus : « Si tu n'avais pas trouvé dans le dossier H une accusation formelle contre le général Tourette, oncle et tuteur de ta fiancée *et portant le même nom qu'elle,* aurais-tu eu l'audace de garder ce dossier par-devers toi et d'assumer toi-même les responsabilités d'une enquête qu'il ne t'appartient pas de conduire ? »

À cette question qui se formulait de plus en plus nettement en lui, il ne pouvait que répondre : « Évidemment non » ! et le fait qu'il avait agi dans le dessein de sauver un honnête homme ne le disculpait plus à ses propres yeux.

– Pourriez-vous me dire où je trouverai le général Tourette, mon commandant ?... On m'a dit que j'avais des chances de le rencontrer à Vigne ; nous sommes bien à Vigne ici ?...

Gérard s'adressait à un officier d'État-Major qu'il avait arrêté sur la place du village :

– Oui, lieutenant, vous êtes à Vigne, mais le général Tourette n'est pas venu ici !...

– L'État-Major est cependant bien ici ?

– L'État-Major du corps d'armée, parfaitement !... Mais on n'y a pas vu le général Tourette !... Permettez-moi de vous dire que vous devez faire confusion. Il y a deux Vigne... Vigne-le-Village... et Vigne-la-Grande, où se trouve l'État-Major d'armée... C'est peut-être à Vigne-la-Grande que vous rencontrerez le général...

- Merci, commandant !

Et ils durent revenir sur leur route, faire retour en arrière, prendre des chemins de traverse. Ce furent trois heures perdues.

Ils n'avançaient plus qu'avec la plus grande difficulté, arrêtés à chaque instant par des incidents de route, par les ténèbres, par les consignes…

Gérard « bâillait ». Dans la nuit, il ne voyait distinctement que ces lignes de feu :

Monsieur le *Polizeirath* sera content. Tout est arrangé et convenu avec le général Tourette.

Frédéric Bussein. Dossier du *faux nom.*

Le général Tourette avait-il un *faux nom* ?… Portait-il un faux nom comme défunt Fer-Blanc portait un faux nez ?… Non ! Évidemment !… Ce nom était bien le sien. La race qui portait ce nom-là avait donné de fiers soldats à la France, depuis des générations… On pouvait cependant se rappeler ceci : c'est qu'au moment du quadruple assassinat accompli par ce monstre de *Tourette*, qui remplit d'horreur le monde entier, le général avait eu la faiblesse de demander à écrire son nom *Tourette*… faiblesse d'autant plus pardonnable et explicable que *Touraitte*, l'assassin, laissait des enfants… Tout de même il était permis de croire que l'on n'eût pas confondu les deux familles…

Quoiqu'il en fût, Gérard pensait que c'était à cause de ce détail que *le dossier Tourette* avait pris le titre de *dossier du faux nom…* dossier qui se trouvait lui-même enfermé dans *le dossier H* appelé encore *dossier Hache* (restait à savoir pourquoi)…

Ce Bussein était le dernier des misérables ; il l'avait prouvé. Le métier qu'il faisait devait lui permettre de s'enrichir aux dépens des bonnes poires d'outre-Rhin ! Quelle était la valeur de cette invention photographique à laquelle le service d'espionnage berlinois semblait tant attacher d'importance ? Voilà ce que, malheureusement, Gérard ne pouvait apprécier depuis que le caveau de Chéneville s'était si tragiquement et si malencontreusement vidé de sa curieuse marchandise !…

Tout de même, d'après ce qu'il en avait vu, Gérard était très porté à croire que cette invention-là pouvait très bien être un bluff à la Bussein, *comme la lettre* !...

En vérité, Bussein ne s'était guère pressé de livrer les si précieuses valises et les fameux appareils (on en vendait d'absolument semblables aux Nouvelles Galeries, avait dit Cellier). Bien mieux, il semblait avoir pris plus de précautions pour les cacher aux Allemands qu'aux Français eux-mêmes... Alors ?... alors ! Il devait rouler les Boches !... les Boches qui, de l'aveu même du *Herr Direktor,* devaient lui donner pas mal d'argent. « Dans ces derniers temps, Bussein nous a coûté beaucoup d'argent ! »

Dame !... s'ils avaient été assez bêtes pour le croire, ces messieurs avaient dû payer cher la grande trahison du général Tourette !...

Et Bussein avait tout empoché !...

Gérard eût juré que c'était là toute l'histoire du *faux nom* !... « Allons ! allons ! Mon devoir d'honnête homme est de remettre ce dossier à l'honnête homme qu'est le général Tourette ! »

– Halte ! ma capitaine ! (Corbillard, suivant une habitude prise à l'infernale, continuait d'appeler « ma capitaine » le lieutenant Gérard), je crois bien que nous sommes arrivés !... Attention à la sentinelle !...

Gérard freina et stoppa. Ils avaient en effet « rejoint l'État-Major d'armée qui s'était installé dans l'école primaire de Vigne-la-Grande.

– Le général Tourette ?...

– Ah ! bien ! vous tombez bien ! dit la sentinelle... Il vient de rentrer... Tenez ! c'est son auto qui attend là...

On apercevait une voiture puissante dans l'ombre, une bête au mufle allongé sur la route, aux yeux à demi-éteints ; elle devait se reposer de prodigieuses fatigues...

Gérard s'avança vers l'homme qui était au volant... ce chauffeur avait les galons de sergent. En dépit de l'obscurité presque complète, Gérard put constater qu'il ne le connaissait pas. L'homme dormait. Gérard lui frappa sur l'épaule :

- Voilà ! mon général !...

- Non ! ça n'est pas votre général !... mais j'ai besoin de le voir, savez-vous s'il va sortir bientôt ?...

- Je n'en sais rien, mon lieutenant !...

- Il ne vous a pas donné de consigne ?...

- Si, mon lieutenant ! Il m'a donné la consigne de me taire si on m'interroge...

Gérard se le tint pour dit et alla retrouver Corbillard dans l'auto...

Il était très tard, vers les minuit. Toutes les lumières du bourg étaient éteintes à l'exception des fenêtres du premier étage de l'école et de la lanterne qui éclairait l'escalier qui y conduisait. À ces fenêtres, on voyait passer des silhouettes militaires rapides, affairées... et puis, plus rien... et puis, soudain, le mouvement reprenait pour s'arrêter encore... On percevait nettement le bruit trépidant des appels de sonneries électriques... Le bureau des P. T. T. était dans les bâtiments mêmes de l'école...

Tout au fond de la place, Gérard distingua encore des ombres accroupies dans la nuit calme, à ras de terre... c'était le troupeau muet des autos d'État-Major qui attendait le moment de repartir en vitesse dans un repos sombre et accablé...

Un quart d'heure se passa ainsi, puis, coup sur coup, il y eut l'arrivée à toute volée de deux autos d'où les officiers sortirent avant même que les voitures ne fussent arrêtées. Ils disparurent dans la cour de l'école, réapparurent dans la clarté de l'escalier intérieur, firent claquer des portes...

Tout retomba au silence...

Dix minutes encore et la sentinelle dit :

– Mon lieutenant ! voilà le général Tourette ! Gérard descendit de voiture. Il était glacé, pris de frissons. Il était en train de se dire : « J'agis comme un honnête homme si le général est innocent ; mais, s'il ne l'est pas, j'agis comme un traître ! »

VIII
Quelqu'un trahit ou quelqu'un bavarde

Il reconnut la silhouette du général qui traversait hâtivement la cour. « Mon seul, mon unique devoir, se disait alors Gérard, est de remettre ce dossier à ma mère qui le remettra à ceux qui le lui ont demandé ! »

Le général franchit la grille. Il vit cet officier qui s'avançait vers lui et, dans l'obscurité, ne le reconnut pas.

- Que me voulez-vous ?...

- Mon général, c'est moi ! dit Gérard...

- Toi, Gérard ? mais tu n'as pourtant pas encore reçu ma lettre ? Ah ! cela est extraordinaire !... En tous cas, tu me fais un rude plaisir ! je suis content de te voir, mon garçon !

Et il lui serra affectueusement et très chaleureusement les mains...

- Comment va ta mère ?

- Pas très bien, mon général !...

- Il y a longtemps que tu ne l'as vue ?

- Je suis passé la voir avant de venir vous trouver !

- Tu sais que tu restes avec moi !...

- Comme vous voudrez, mon général !...

- Attends un peu !... Nous allons parler de tout ça !... laisse-moi donner quelques ordres à mon chauffeur...

- Je vous en prie...

- Mais tu es venu en auto ?...

- Oui, avec mon ordonnance.

– Je vais dire à Boncœur de s'occuper de ton auto et de ton ordonnance…

Quelques secondes plus tard, le général entraînait Gérard vers le fond de la place où se dressaient les bâtiments sombres de l'hôtel du Coq-d'Or.

– Qu'est-ce qu'elle a, ta mère ? Ce n'est pas grave ?

– Je vais vous dire, mon général. Elle était restée à Vezouze où sont venus les Allemands et, justement, c'est là qu'est descendu le Kaiser ! Elle s'est vue dans l'obligation de le recevoir. Tous ces événements l'ont frappée… Oui, ma pauvre maman est très malade… Depuis, elle s'est installée à Nancy, comme vous le savez !…

– Moi ? fit le général, mais je ne sais rien du tout !…

Gérard n'insista pas, croyant que le général parlait ainsi par discrétion, pour n'avoir pas à s'expliquer sur les motifs qui l'avaient poussé à interdire à sa nièce les visites à la rue du Téméraire.

– Elle est rue du Téméraire avec Martine… continua Gérard… Elle ne veut plus retourner à Vezouze, dit-elle, tant que le Kaiser sera vivant !…

– Oh ! il suffira de faire brûler beaucoup de sucre pour faire redevenir le château habitable… fit le général avec bonne humeur. À propos de Martine, a-t-on des nouvelles de ce pauvre François ?…

– Aucune ! Oh ! pour moi, il est bien mort ! Ils l'avaient, du reste, déjà à moitié massacré !

– Les brigands ! mais ils nous paieront tout cela, va ! en gros et en détail !… Alors, dis donc, c'est pour moi tout seul que tu es venu ici ?…

– C'est pour vous, mon général… et pour… pour Mlle Juliette !… acheva Gérard sans grand courage…

– Ah ! mon garçon, je t'en prie, hein !… pas d'histoires de fillettes, en ce moment !…

– Mon général, reprit Gérard assez démonté… je vous ai dit combien ma pauvre maman était souffrante, triste, abandonnée… je vous serais si reconnaissant si vous permettiez à Mlle Juliette d'aller de temps à autre passer quelques instants auprès d'elle !…

– Mais, mon garçon, je ne demande pas mieux, moi !… qu'elle y reste toute la journée et même toute la nuit si cela peut faire du bien à ta mère !… Saperlotte !… c'est bien la moindre des choses qu'elle puisse faire pour vous !… Sans toi, où serait-elle maintenant, Mlle Juliette ?… Elle serait encore à la disposition de ce bandit de Feind !… Quand je pense tout de même combien il nous a trompés celui-là !… lui… et tant d'autres !… Faux Français, faux Alsacien, espion Boche, et ça voulait se marier avec la nièce d'un général français !… et moi je marchais, encouragé par ton père qui mieux est !… Enfin, ne parlons plus de ça !… Tout de même, vous, vous en avez fait un sacré coup à Metz !… Vous êtes des lurons !… Juliette m'a raconté ça !… Brave petite fille !… Crois-tu qu'elle s'est bien conduite dans le bureau de poste ! Tu sais qu'il est question de la décorer !… J'en mourrai de joie !… Bon ! et moi qui ne voulais pas que tu me racontes des histoires de fillettes ! qu'est-ce que je fais ?… Oui, oui, mon garçon, qu'elle aille voir ta mère et qu'elle la soigne bien !…

Gérard était de plus en plus abasourdi : que lui avait donc raconté Juliette ?… Elle lui avait certainement menti ! Pourquoi ?…

Avec cette rapidité de conception que l'on rencontre chez les amoureux qui ont toujours besoin de trouver des excuses à toute action blâmable de l'objet aimé, il imagina que Juliette – en l'occurrence – lui avait moins servi les arguments du général que les siens, propres à expliquer une telle conduite !

Ce n'était pas le général qui craignait maintenant de jeter sa nièce dans les bras de la famille Hanezeau (selon l'expression de Juliette), c'était Juliette elle-même qui faisait preuve d'une retenue et d'un amour-propre excessifs ! Et cette pudeur, elle avait eu la « pudeur » de la mettre sur le compte du général !…

Brave, étonnante, incroyable petite Juliette !…

« Elle ne fait rien comme les autres ! Elle n'en est que plus adorable ! » conclut Gérard, en pénétrant dans l'hôtel sur les talons du général.

Pendant son court séjour à Vigne-la-Grande, deux pièces avaient été mises à la disposition du général, au rez-de-chaussée même.

Le général alluma lui-même une lampe et Gérard fut frappé de l'aspect extrêmement préoccupé de sa physionomie. Il est probable que, de son côté, le général remarqua chez Gérard quelque chose d'anormal car il lui dit :

- Eh là ! mon garçon, tu n'as pas très bonne mine !... Tu m'as l'air tout chose !... Tu n'es pas malade, aussi, toi ?...

- Nullement, mon général !...

- À la bonne heure ! Je vais te faire dresser un lit de camp ici à côté de moi, dans mon bureau. Ça ne te déplaît pas ?

- Nullement, mon général !

- Et moi, ça m'arrange !... Alors, tu n'as pas reçu ma lettre ?

- Non, mon général, elle doit courir après moi... J'ai demandé un congé à la suite d'une petite blessure reçue à l'épaule. Oh ! rien de grave !...

- Ça ne t'empêche pas d'écrire ?...

- Eh ! c'est à l'épaule gauche !...

- Tu sais que tu vas devenir mon secrétaire en chef !

- Non ! s'exclama Gérard, est-ce bien possible, mon général ?...

- D'abord, mon garçon, permets-moi de te féliciter... Tu as fait plus que ton devoir !...

- Oh ! mon général !...

- Oui, c'est bête ce que je dis là... dans cet ordre d'idées, on ne fait jamais plus que son devoir... Enfin, toi, tu l'as accompli d'une façon magnifique !... L'histoire de « l'infernale » est célèbre et les Allemands s'en souviendront. Quand j'ai vu qu'on t'administrait la Légion d'honneur, j'ai été bien heureux...

– Vous, mon général !...

– Oui, moi !... Est-ce que tu crois donc que je ne t'aime pas ?... Je t'ai vu haut comme ma botte et je t'observe depuis longtemps, tu sais !... Tu es un honnête homme, Gérard !... Je sais que tu avais été l'un des premiers à avertir ton père du danger qu'il y avait à se laisser trop envahir par les Boches !... Oui, un honnête homme ! et un brave garçon ! et un brave ! tout court !... Eh bien ! je vais te dire une chose !... Qu'est-ce que tu as ? Tu as la larme à l'œil ? Qu'est-ce qui m'a fichu un soldat comme ça, qui se met à chialer parce qu'on lui dit qu'il n'est pas capon ? Calme-toi ! Nous allons parler de choses sérieuses !... Je t'ai écrit une lettre dans laquelle je t'annonce que je te prends avec moi et dans laquelle je te prie de faire diligence, d'arriver le plus tôt possible !... Et voilà que tu arrives avant la lettre ! félicitations !... Mon garçon, voici de quoi il retourne !...

Ici le général s'arrêta un instant, alla ouvrir la porte du corridor, la referma à clef et conduisit Gérard au fond de la seconde chambre... et il parla bas :

– Ceci, Gérard, je t'en avertis tout de suite, est un secret d'État... mettons un secret d'État-Major, ce qui est encore plus grave !... Donc, au grand quartier général, on a acquis la certitude que « les fuites » extraordinaires, qui se sont produites depuis le commencement de la guerre et qui ont permis aux Allemands d'être quelquefois avisés, *des semaines à l'avance,* de nos principaux mouvements et de nos principaux desseins, ont pour origine des indiscrétions, *ou pis encore,* dans les services auxiliaires de l'armée et, particulièrement dans celui de l'intendance... Comprends bien qu'avec les masses énormes que notre généralissime doit remuer, il lui est absolument impossible de garder pour lui tout seul le secret de sa future stratégie et même de la plus simple tactique. Il doit *longtemps à l'avance* prévenir les services auxiliaires d'avoir à fournir pour telle date, sur un point nommé, tels et tels approvisionnements !... Tu vois la difficulté de garder un pareil secret !

- Oh ! oui, mon général, fit Gérard qui avait peiné à respirer...

- Eh bien ! mon garçon, nous avons maintenant la certitude que ce secret est connu de l'autre côté *avant même qu'il y ait eu commencement d'exécution des ordres donnés ! Indiscrétion ou trahison ?* Tout est là !... C'est épouvantable !...

- Épouvantable ! repartit Gérard, de plus en plus agité.

Le général s'aperçut de l'émotion que cette révélation déterminait chez le jeune homme...

- Je vois que tu saisis la gravité incalculable d'une pareille situation...

- Oh ! oui, mon général !...

- Eh bien ! saisis encore ceci ! tous mes collègues ont été avertis *et moi, je l'ai été tout à fait particulièrement !* Pourquoi moi ? D'abord, parce que je touche à tous les services *et que j'ai tous les secrets* !... Je dois même te dire que l'enquête s'est tout à fait resserrée autour de ma fonction !... On ne serait nullement étonné de découvrir le pot aux roses autour de moi !...

- Ça n'est pas possible, mon général !...

- Pas possible !... Pourquoi donc cela ?... Je vais même te dire davantage, moi... *Je n'en serais nullement étonné moi-même !* Ma parole ! il y a eu des choses qui ont été sues et qui n'étaient connues que du généralissime, de moi, et, nécessairement de mon entourage immédiat !... Alors ! alors, tu comprends s'il faut avoir l'œil !... J'en ai parlé avec les grands chefs et nous sommes tombés d'accord que je devais renouveler mon petit État-Major à moi !... En premier lieu je me sépare, sous un prétexte des plus honorables de mon *alte,r ego,* le capitaine Jal, qui est insoupçonnable, mais qui est un peu bavard !... et c'est pour le remplacer que j'ai pensé à toi. Je te connais, tu seras muet comme la tombe !... Enfin, tu t'es assez fait tuer comme ça ! Je connais une personne qui ne sera pas mécontente de te savoir pour quelque temps un peu plus rangé des marmites !... (Gérard devint rouge jusqu'aux oreilles.) Tu n'as pas besoin de rougir ! Je parle de ta mère !... Gérard, puis-je compter sur toi ?...

Gérard se précipita sur les mains du général.

– Mon général, je vous suis dévoué jusqu'à la mort ! Disposez de moi comme vous voudrez ! Faites de moi ce que vous voudrez ! Je vous aime et je vous respecte comme un père.

– C'est bon ! c'est bon !… ne nous attendrissons pas !

– Mon général, je ne vous ai pas encore dit ce que j'étais venu faire ici !… la véritable raison de mon congé !… Vous ne savez pas pourquoi je suis venu vous trouver, sans y avoir été invité !… Il faut que je vous le dise !… Je dois vous mettre au courant d'une machination abominable, et stupide dont il n'est point possible que vous soyez la victime, car tout le monde connaît le général Tourette !…

– Qu'est-ce que tu racontes ? ? Quelle machination ?…

– Mon général, je suis venu pour vous apporter ça !…

Et Gérard sortit le dossier H qu'il jeta sur la table.

– Qu'est-ce que c'est que ça ?

– Un dossier laissé par le service de l'espionnage allemand lors de son passage à Vezouze… c'est ma mère qui l'y a trouvé… c'est elle qui me l'a remis pour que je vous le remette, mon général !…

– Et pourquoi à moi ?…

– Vous en jugerez, mon général ! Il y a là une chose si bête et si monstrueuse !…

Le général s'assit, mit une paire de lunettes et ouvrit le dossier.

IX
Hypothèses

Placé comme il l'était, Gérard ne pouvait voir la figure du général qui était penchée sur le papier.

Il s'attendait à une colère formidable.

Il n'y en eut pas.

Et Gérard se dit : « L'honnête homme n'est démonté par rien, et rien ne saurait le surprendre ! »

Tout de même, la voix du général était altérée quand elle prononça ces mots :

– Je ne connais pas ce Frédéric Bussein et je ne l'ai jamais vu de ma vie. Apparemment il s'agit du Bussein qui a été fusillé à Nancy dans les premiers jours de la guerre !...

Ce disant il retira ses lunettes et montra à Gérard un visage calme mais naturellement très préoccupé.

– Oui, répondit Gérard, il s'agit bien de ce Bussein-là ! J'ai eu des renseignements particuliers sur lui et dans de telles conditions qu'on ne saurait les mettre en doute... Ce Bussein coûtait très cher au service secret de campagne allemand !... On lui versait des sommes considérables !... et, bien entendu, il gardait tout pour lui !...

– C'est à savoir ! interrompit le général.

– Donc, mon général, quand il se vante de vous avoir acheté !...

– D'abord il ne prétend pas m'avoir acheté !... releva l'oncle de Juliette avec un sang-froid glacial. Il dit que nous sommes d'accord sur le prix... ça n'est pas la même chose... sur le prix de quoi !... Tout cela ne peut avoir été inventé entièrement !... Le service secret de campagne allemand ne se laisse pas berner aussi facilement que tu sembles disposé à le croire !... Non ! non !... Ce que tu m'apportes est excessivement intéressant, *car il y a eu certainement quelque chose autour de moi !...* Quant à moi, je ne puis affirmer qu'une chose c'est que je ne connais pas ce Bussein... Mais, peut-être, après tout, a-t-il arrangé son affaire avec moi par un intermédiaire, sans que je, m'en doute !... De quelle affaire s'agit-il ?... De quel prix s'agit-il ?... Je n'en sais rien... Il y a, dans ces lignes tracées en allemand, trois mots en français : *Il marche tout à fait !...* Comprends-tu cela ?... *Je marche !...* Je marche ! je me fais rouler, quoi !... je marche comme un niais !... Ils me font marcher !... Je ne suis qu'un imbécile !... Voilà pour moi ce que cela veut dire, et c'est malheureusement peut-être la vérité !...

Le général se prit la tête dans les mains et parut réfléchir profondément...

Quand il sortit de ses réflexions, il dit :

- Car, je te le répète, des choses ont été sues qui n'étaient connues que de moi et de mon entourage immédiat !... Qu'est-ce que j'ai pu faire qui a fait leur affaire ? *et pour laquelle j'aurais pu être d'accord sur le prix ?...* sur le prix de quoi ?... qu'est-ce que tu as pensé, toi Gérard ?...

- Oh ! mon général, moi, c'est simple ! Je vous l'ai dit tout à l'heure ! j'ai pensé que Bussein s'était vanté auprès de ses chefs qu'il avait acheté un général français et j'ai pensé qu'il avait mis la somme dans sa poche ! C'est également ce qu'a pensé ma mère, je vous prie de le croire !...

- Oui, parce que vous ne saviez pas ce qui se passait ici !... et puis parce que vous n'avez pas réfléchi !... Comment pouvez-vous croire que ce Bussein ait écrit *en clair* une chose pareille ! avec le nom du général, le nom en toutes lettres ?... Voyons, Gérard ! Tu n'es plus un enfant !...

- C'est vrai, mon général, c'est frappant ce que vous dites là !... mais alors ?...

- Mais alors il faut que ce Bussein, par un intermédiaire, ait *arrangé* avec moi quelque chose d'apparemment très simple et dont on peut parler comme d'une chose très simple et qui, au fond, serait très grave !...

– Ah ! mon général ! c'est lumineux ce que vous dites là !... Examinez, je vous prie, le reste du dossier... j'aurai à vous rapporter des choses très importantes relativement à ce plan !... Ce plan est celui de Chéneville-sous-Arracourt !...

– Comment le sais-tu ?...

– J'étais dans les caves lors de l'assaut !... Mon général voici ce qui s'est passé... Aussitôt que j'ai eu en main ce dossier, j'ai demandé un congé pour aller vous le porter, et, en attendant mon congé, j'ai pris part à l'affaire de Chéneville. Elle est liée intimement et extraordinairement à l'histoire de ce dossier !... Vous disiez, tout à l'heure, que l'affaire doit être, au fond, très grave ! depuis que je vous ai entendu, je partage votre avis, et les propos que j'ai pu surprendre dans la bouche de quelques espions allemands prennent une importance toute particulière... peut-être même que l'histoire des valises...

– Quelle histoire des valises ?...

– Vous voyez, sur le plan, ce chiffre 28, mon général ! Eh bien ! il y avait à cet endroit, exactement, vingt-huit valises dans lesquelles nous avons trouvé des appareils photographiques... valises et appareils, ont, du reste, disparu au milieu de la bataille, et je vois qu'il faut le regretter plus que jamais !...

Sur la prière du général, Gérard narra en détails toute l'affaire et ne manqua point d'attirer l'attention de son interlocuteur sur les travaux spéciaux de microphotographie auxquels Bussein prétendait se livrer d'après les dires de son ex-employé Cellier !...

– Tout cela est excessivement intéressant ! déclara l'oncle de Juliette après avoir écouté avec une attention aiguë tout ce que lui disait Gérard et après avoir pris quelques notes au crayon sur un carnet... Les Allemands, nous le savons maintenant, ont tellement industrialisé la guerre qu'il n'y a rien d'étonnant à ce qu'ils aient trouvé un nouveau mode photographique de pénétrer nos secrets. Toutefois, je dois dire que je n'ai jamais, quant à moi, fait de photographie, que je n'ai jamais acheté d'appareils photographiques et que je n'ai jamais fait d'affaires photographiques !... Ce n'est donc pas pour une affaire de ce genre que j'aurai *marché tout à fait* !... quoi qu'il en soit, mon cher Gérard, ce dossier *si bizarrement laissé à*

Vezouze, je te remercie de me l'avoir apporté ! Il pourra nous être précieux ! Repose-toi bien ! *et dès demain matin nous irons le porter ensemble au grand quartier général !* Ce sera une occasion pour moi de te présenter à certain personnage qui m'a parlé de toi, à plusieurs reprises !

– Vous allez me présenter à…

– Oui !…

– Mon général… Mon général… vous me comblez !… je ne sais comment vous… remercier… murmura Gérard qui positivement étouffait…

– Si tu as quelque affection pour moi, mon garçon, tu as dû bien souffrir en voyant mon nom dans cette sale affaire !

– Oh ! mon général, j'étais surtout indigné !…

– Oui, ça c'est le premier mouvement…

Il était sur le seuil de sa chambre et les deux hommes allaient se séparer. Le général posa ses deux mains sur les épaules de Gérard et lui dit brusquement, en le fixant dans le blanc des yeux :

Tu ne t'es pas dit une seconde : « Le général a peut-être été… imprudent ?… Le général est pauvre… Le général a une nièce à marier !… »

– Ah ! mon général ! cela je me le suis dit, et je viens vous demander sa main, mon général !…

– Elle est à toi, mon garçon !…

Ils s'embrassèrent, puis chacun rentra chez soi et se mit au lit.

Mais ils ne dormirent ni l'un ni l'autre…

X
L'accolade

À six heures, le lendemain matin, l'auto du général Tourette quittait Vigne-la-Grande, emportant le général et Gérard.

L'auto était conduite par le sergent Jacques Boncœur qui avait, paraît-il, servi pendant quelques mois dans la maison Hanezeau.

- C'est du reste, sur la recommandation de ton père que j'avais pris ce brave garçon chez moi, quelques jours seulement avant la déclaration de guerre, expliqua le général, et quand il fut mobilisé je fis les démarches nécessaires pour qu'il restât à mon service. Il est tout ce qu'il y a de plus dévoué et débrouillard ! Avec cela pas bavard ! Il est toujours sur son siège ! pas curieux !... Se défie des questionneurs !... Du reste, ne demandant jamais à savoir !... Il me sert aussi à l'occasion d'ordonnance... soigne et surveille admirablement mon petit bagage !... Après la guerre j'en ferai mon valet de chambre !... Je l'ai averti que nous étions très serrés par l'espionnage boche et je te prie de croire qu'il a l'œil !... et qu'il ne faut pas approcher la voiture de trop près !...

- J'en sais quelque chose, dit Gérard... Hier, j'ai voulu le questionner ; tout lieutenant que je suis, il m'a joliment envoyé promener... Alors il a servi mon père ?... je ne me rappelle pas l'avoir jamais vu chez nous !...

Gérard se pencha et demanda à Boncœur :

- Quand étiez-vous donc chez M. Hanezeau ?

L'autre jeta une date. Gérard se rassit.

- Ah ! bien ! c'était pendant mon voyage en Amérique...

- Et toi, alors, tu as pris ce brave Corbillard ?... Il ne doit pas te rendre de bien gros services !... Est-ce qu'il boit toujours ?...

- Quelquefois, oui !... quand il est très content et quand il est très triste ! mais depuis quelque temps il se tient convenablement dans la moyenne... Sa plus grande qualité est que je le connais et qu'il est fidèle ! Enfin, il a toujours à me raconter des histoires du pays…

Corbillard se tenait droit comme un *i*, à côté du chauffeur. Et il n'avait pas encore adressé la parole à Boncœur.

– Je ne le reconnais plus ! dit le général… On dirait un valet de pied de grande maison !…

– Ah ! c'est que moi aussi je lui ai fait la leçon…

– Tu as bien fait, Gérard, surveillons-nous et surveillons tout !…

C'était la première allusion que le général faisait à la cruelle révélation de la veille. Ce fut la seule pendant tout le voyage.

Il ne fut pas plus question du dossier que s'il n'avait pas existé.

Ils mirent quatre heures à franchir les quatre-vingts kilomètres qui les séparaient du grand quartier général, lequel se trouvait à une centaine de kilomètres environ de la ligne de feu.

Le général profita de la longueur du parcours pour donner à Gérard certains renseignements techniques, bref pour commencer son éducation d'officier d'État-Major ! Il lui montra par quels admirables et ingénieux truchements le généralissime tient, à son quartier général, tous les fils qui doivent le réunir aux unités qu'il dirige. Là aboutissent tous les renseignements, tous les comptes rendus, toutes les nouvelles de toutes sortes ; de là partent tous les ordres, toutes les indications pour les opérations. C'est un échange perpétuel de messages entre le grand quartier général et les différents États-Majors jusqu'aux États-Majors de brigade.

Pour faciliter le service dans les états moyens, le travail est réparti par bureaux.

Au premier bureau incombe le soin de l'organisation, des effectifs, des situations de prises d'armes, des portes, d'évacuation, etc.

Il s'occupe, en plus, de la question munitions, vivres, consommation et renouvellement des approvisionnements.

Au deuxième bureau incombe le soin des renseignements, affaires politiques, service topographique.

C'est lui qui recueille toutes les nouvelles, les rapports de reconnaissance, etc. ; il doit être à même de renseigner le commandement sur toutes les questions qui vont lui permettre de donner les ordres en toute connaissance de cause.

Au troisième bureau revient la tâche, la lourde tâche de donner les ordres relatifs aux opérations et aux mouvements de troupes.

C'est le bureau de la rédaction des ordres et des instructions.

Il est évident que la répartition des affaires d'État-Major à trois bureaux ne vise que les grosses unités : armée, corps d'armée, détachement d'armée.

- Tu dois comprendre, maintenant, Gérard, que c'est au *deuxième bureau* que nous allons avoir affaire tout à l'heure, mais que c'est presque toujours avec le premier bureau que nous devons nous aboucher dans nos tournées d'État-Major dont je suis, en quelque sorte, l'officier général de liaison pour tout ce qui concerne les services auxiliaires.

- Je comprends, mon général…

- Du reste, tout cela te sera expliqué en détail dans quelques jours quand la tournée que je fais en ce moment sera achevée et que nous serons revenus à Bar-le-Duc !

- C'est là qu'est votre organisation centrale, à vous, mon général ?

- Oui, c'est là qu'est mon bureau !

En arrivant dans la petite ville où était installé le grand quartier général, Gérard ne pouvait manquer d'être frappé de l'étonnante tranquillité qui y régnait.

Là on n'entendait ni canon, ni mitrailleuse, ni aucun des plus lointains échos de la bataille.

Là, la vie civile n'était pas disloquée par les encombrants services d'arrière, là régnait un air de paix et de quiétude admirable.

C'était encore à l'école qu'était installé le premier de tous les États-Majors de campagne.

Une vingtaine d'automobiles très puissantes stationnaient sur la place.

Un brave gendarme faisait les cent pas sur un trottoir.

Quand une auto démarrait, c'était doucement, silencieusement, sans le moindre bruit de « corne ». Allées et venues très rares, du reste... ici, c'est surtout le télégraphe et le téléphone qui marchent !...

Au coin de l'école, le général montra à Gérard une auto célèbre maintenant dans le monde entier. Elle était aménagée comme un petit bureau. On eut dit un de ces petits salons comme on en voit attenant aux cabines des paquebots. Une planchette pour écrire, deux divans se faisaient face sur lesquels on pouvait étaler des cartes pour travailler ou s'étendre pour se reposer...

Le général et Gérard se dirigèrent vers l'entrée de l'école. Un seul fonctionnaire montait la garde.

En pénétrant dans cette humble demeure où vivait l'Homme, Gérard sentit battre son cœur à grands coups sourds !... Ils suivirent des couloirs où l'on avait hâtivement posé des fils télégraphiques qui couraient le long des murs... Ils traversèrent plusieurs pièces où des officiers travaillaient, chacun à une petite table. On ne s'aperçut même pas de leur passage. Une grande pancarte était suspendue au mur. Elle portait ces mots :

ON EST PRIÉ DE NE PARLER QU'À VOIX BASSE

Le général et Gérard avançaient toujours, précédés maintenant par deux gendarmes en bonnets de police qui s'effacèrent tout à coup en montrant la porte qu'ils venaient d'ouvrir.

Le général et Gérard pénétrèrent dans une vaste pièce aux murs blanchis à la chaux. C'était la salle classique de nos petites écoles de province. Trois tableaux en bois blanc étaient disposés au beau milieu du mur, portant des cartes d'État-Major.

Dans le fond, près du pupitre de la maîtresse, un tableau noir était demeuré sur son chevalet et, cloué à ce tableau, s'étalait la carte de la Prusse-Orientale.

Un général, un homme d'assez haute taille, d'assez forte corpulence, avec des cheveux blancs, se tenait debout devant le tableau.

Quand il se retourna, Gérard devint pâle comme un mort.

- Ah ! je suis très heureux de vous voir, mon cher Tourette, fit l'Homme, d'un ton mi-figue mi-raisin… nous avons encore du nouveau, paraît-il, au deuxième bureau…

- Mon général, permettez-moi de vous présenter…

Mais à ce moment un commandant entra, porteur d'un message.

Le général lut la dépêche d'un seul coup d'œil, la relit d'un bout à l'autre ; puis, sans qu'un muscle de son visage bougeât, écrivit quelques mots au coin du papier.

- Voici ! dit-il simplement à l'officier qui prit le pli et s'éloigna.

Il fut remplacé immédiatement par un jeune capitaine qui vint lui dire :

- On est venu, mon général, d'où vous savez !

- Ah ! cela tombe très bien !… Tourette, voulez-vous passer avec moi dans la pièce à côté ?… Mais, pardon, vous étiez en train de me présenter ce jeune homme !… Je parie que c'est notre nouveau lieutenant, hein ?… C'est vous l'infernale mon ami ?…

- Oui, mon général, fit Tourette, car Gérard était incapable de prononcer un mot, oui, c'est Gérard Hanezeau…

- Eh bien, vous nous avez envoyé des renseignements hors ligne, mon ami, par l'intermédiaire de cette petite surnuméraire des postes… Venez m'embrasser, mon ami, *c'est tout ce que j'ai le temps de vous dire* !…

Il donna l'accolade à Gérard et disparut, entraînant avec lui Tourette et fermant la porte derrière lui.

Gérard n'y voyait plus clair…

Il se laissa conduire dans une autre pièce, puis dans une autre, sans qu'il y prêtât la moindre attention et, ma foi, sans qu'il se rendît bien compte de ce qu'il faisait. Il se retrouva même dans la cour sans savoir ce qu'il faisait là et il ne revint tout à fait à lui qu'en entendant la voix de Corbillard qui lui disait :

– Le chauffeur du général est un pays ; il a bien connu défunt votre père. Il m'a dit que, dans le civil, il habitait Nancy, rue de la Hache !

XI
« Hache – H »

Dossier H. Dossier *Hache*. Rue de la Hache !... Depuis qu'il avait mis le nez dans le fatal dossier, Gérard ne pouvait plus entendre sans tressaillir la lettre H ou le mot « hache ». C'était le dossier lui-même qui avait établi le rapport entre la lettre et le mot.

Cela ne pouvait être simplement une rencontre, un calembour. Pourquoi dossier H ? sans doute à cause de *Hache*. Et pourquoi Hache ?... Voilà ce qu'il s'était demandé souvent ! et, depuis qu'il avait entendu Corbillard, il se disait : « Pourquoi pas à cause *de la rue de la Hache ?... Dossier Hache, dossier de la rue de la Hache ?* »

Hypothèse !...

Mais pourquoi était-elle née d'une façon foudroyante dans son esprit, au moment même où Corbillard lui parlait ?...

Il connaissait la rue de la Hache. C'était une petite rue tortueuse dans le vieux quartier, au-dessus du faubourg Saint-Jean.

Il se rappelait très bien que Mathurin Cellier, le photographe, lui avait dit qu'il habitait rue de la Hache. Et cependant, quand Cellier lui avait dit cela, il n'avait point pensé subitement au dossier de la rue de la Hache !...

Eh ! c'est qu'il était sans doute dans un moment *moins sensible...*

Le mot prononcé était allé, cette fois, le chercher au fond d'une espèce de crise extatique et l'en avait fait sortir en sursaut, le rejetant immédiatement et cruellement en face de l'énigme à déchiffrer...

Gérard, depuis cinq minutes, regardait Corbillard d'une façon stupide. Et Corbillard se demandait avec anxiété ce que « sa capitaine » avait à le regarder comme ça !...

– Pardon, ma capitaine, Boncœur demande si on pourrait savoir si le général en aurait pour longtemps, parce qu'il en profiterait pour arranger quelque chose à sa machine...

Gérard alla à l'auto et questionna Boncœur sur sa machine. Pendant ce temps-là, il l'étudiait. La physionomie était farouche. L'homme paraissait intelligent mais simple. L'impression était plutôt favorable. Le nom était bien français.

Gérard revint de cet examen sans avoir acquis le droit de soupçonner le loyalisme absolu de ce sergent français qui avait été recommandé au général par son père.

Alors pourquoi Gérard dit-il à Corbillard : « Sans avoir l'air de rien, tu le surveilleras ; suis-le partout, sache, sans qu'il s'en doute, où il va et ce qu'il fait… qui il voit et à qui il parle… Tu as compris ? »

– Oui, ma capitaine…

– Et surtout, fais-t'en un ami !…

– Ça, ça sera difficile ; il ne boit pas !…

– Arrange-toi comme tu voudras… fais la bête ou l'homme saoul si c'est nécessaire, mais je compte sur toi.

– Vous pouvez compter sur moi, ma capitaine, je ferai l'homme saoul ! Comme ça je pourrai l'embêter sans qu'il ait rien à dire… Est-ce que vous avez des soupçons, ma capitaine ?

– Je te jure que non !… je crois au contraire que c'est un honnête homme, mais je voudrais en être sûr !… Et ce que je te demande pour lui, je te le demanderais pour un autre !…

– Bien ! bien ! entendu !… et il alla rejoindre Boncœur.

Gérard ne disait pas tout à fait la vérité en affirmant qu'il eût agi avec un autre comme il le faisait avec Boncœur. Il eût fallu pour cela que cet autre eût habité, comme Boncœur, rue de la Hache.

« Hache – H »

Certainement, quand il retournerait à Nancy, il demanderait à Cellier, si sa jambe allait mieux, de bien lui faire connaître la rue de la Hache.

Soudain il rappela Corbillard et lui dit :

– Tâche de savoir le numéro.

– Quel numéro ?

– Le numéro qu'il habite rue de la Hache…

Sur ces entrefaites, le général Tourette sortait de la cour de l'école. Il fit signe à Boncœur que l'on partait tout de suite.

Le général avait l'air plus préoccupé que jamais.

– Finie pour le moment, la tournée de l'État-Major, nous rentrons à Bar-le-Duc !…

Il sauta dans l'auto. Gérard prit place à son côté. Corbillard reprit son poste à côté de Boncœur. Et ils partirent en vitesse.

Il n'était même pas question de déjeuner. Gérard avait grand-faim cependant ; les émotions l'avaient creusé mais il n'avait rien dit. Est-ce que le général Tourette songeait à déjeuner, lui ?…

Il lui adressa plusieurs questions qui restèrent sans réponse. Le général ne l'entendit même pas. De toute évidence il ne devait pas avoir eu une séance amusante à la suite de l'exhibition du dossier.

Car, certainement, il avait montré le dossier. Gérard ne pouvait en douter…

Une chose étonnait Gérard c'est qu'on ne l'eût point fait demander, lui, qui avait apporté le document, c'est qu'on ne l'eût point fait venir pour fournir certaines explications nécessaires…

Le général ne pouvait avoir fait autrement que de parler de l'histoire des caves de Chéneville-sous-Arracourt et des conversations qu'il avait été donné à Gérard d'entendre dans ces caves.

Il semblait au jeune homme qu'il aurait pu donner quelques indications utiles. Au lieu de cela, on l'avait poliment reconduit jusque dans la cour de l'école.

Il avait attendu le général qui, maintenant, ne répondait même plus à ses timides questions.

Sans doute, Gérard allait être mis tout à l'heure au courant de décisions prises. Il lui paraissait difficile que le général ne continuât point à l'entretenir de l'affaire du dossier…

Soudain, l'oncle de Juliette se tourna vers lui et lui dit :

– Eh bien, mon garçon, tu dois être content ! Il t'a embrassé !…

– Très content, mon général ! Ah ! ma parole, je ne savais plus où me mettre !… Ah ! on se ferait *hacher* pour lui !…

Ce mot *hacher* lui resta dans la bouche et Gérard fit une mine si bizarre que le général fut bien obligé de le remarquer :

– Eh bien ! qu'est-ce qu'il te prend ?…

– Je vais vous dire, mon général… c'est à cause de ce mot : *hacher*… figurez-vous que depuis que je connais le dossier *Hache*…

– J'espère que tu ne plaisantes pas… Ça n'est pas risible, tu sais !…

– Je plaisante si peu que je me suis littéralement senti transi tout à l'heure en apprenant par Corbillard que votre chauffeur habitait à Nancy, *rue de la Hache*…

– Alors, mon garçon, c'est maladif !… Tâche de guérir cela, car je vais avoir besoin d'un aide bien portant !… Nous allons tout changer, tout chambarder, tout renouveler !… J'ai reçu l'ordre de me séparer de mes plus précieux collaborateurs… On va m'en envoyer d'autres.

« En attendant, c'est toi qui vas faire l'intérim pour toutes les affaires importantes…

– Vous pouvez compter sur moi, mon général !…

– Il y a encore eu des « fuites », Gérard ! Et cette fois on a absolument la preuve qu'elles ne peuvent s'être produites que chez moi !… Oh ! il n'y a plus à en douter !…

– Qu'est-ce qu'on vous a dit du dossier, mon général ?…

L'oncle de Juliette, cette fois, avait entendu. Il devint écarlate.

– Rien ! c'est bien ce qu'il y a de plus terrible… On ne m'a absolument rien dit… Je sais que l'on va faire une enquête, voilà tout !… Quand je suis sorti du bureau avec celui que tu sais, j'étouffais. Alors, *il* m'a serré la main à me la casser, en me disant : « Mon brave Tourette, ce sont de rudes cochons !… » *Tout de même je ne voudrais pas passer pour une vieille baderne !* Si tu veux connaître le fond de ma pensée, c'est qu'on est bien près de s'imaginer que je n'ai plus l'œil… et qu'on me berne ! S'ils commencent à me croire trop vieux ils ne se gêneront pas pour me remercier de mes services !… Sacredié ! Dans un moment pareil, j'en mourrais !

– Mon général, je suis là, je vous prie de croire qu'il n'y aura plus de fuites !…

– C'est cela, mon garçon !… Nous travaillerons nuit et jour s'il le faut, nous crèverons à la tâche, mais toute la besogne importante, c'est-à-dire la besogne qui doit rester encore secrète, nous la ferons tous les deux ! tu entends, Gérard !…

– C'est ce que nous aurons de mieux à faire, mon général.

Chose singulière, cette conversation laissa Gérard dans le doute de ce que le général Tourette avait fait de son dossier. Certes ! celui-ci était venu au quartier général dans l'intention de le produire, mais, devant les nouveaux reproches et les nouvelles constatations de fuites, avait-il eu l'héroïsme de le montrer quand même ? Gérard l'espéra mais n'eût juré de rien, et cependant il estimait profondément le général !

Ce fut, pour lui, une angoisse nouvelle ajoutée à toutes les autres.

Il regretta plus que jamais de n'avoir pas fait le seul geste juste dès le début, il eût évité ainsi d'être mêlé d'une façon aussi incorrecte à une affaire qui ne lui appartenait point, à une affaire d'État ! Lui, l'homme de devoir, n'avait pas fait son devoir !… Il n'avait pas su oublier que le général Tourette était l'oncle de Mlle Tourette !… et il avait agi comme un gamin sentimental. Il en porterait toute la faute. Il en avait le pressentiment.

D'un autre côté, il plaignait sincèrement le général. Il songeait à Juliette. Il songeait au mystère de la mort tragique de son père…

son cœur était déchiré et plus que jamais il avait besoin de toute son intelligence, de toute sa lucidité !

À son arrivée à Bar-le-Duc, il eut dix minutes à lui. Il entra dans une église ; sa mère lui en avait appris le chemin quand, dans les offices mondains, elle allait chanter l'*Ave Maria* de Gounod et se faisait presque applaudir comme au théâtre. Il pria avec ardeur, et sortit de là, *à la grâce de Dieu.*

Sur le parvis il rencontra Corbillard qui, lui, venait à l'église pour son plaisir, histoire de revoir une nappe d'autel, la corde du clocher, les cierges à moucher.

– Ma capitaine, lui dit Corbillard, je connais son *numéro*…

– Quel numéro ?…

– Le numéro de la rue de la Hache où que Boncœur habite : c'est le n° 23 *bis* !

Gérard eut un haut-le-corps.

Mais c'est là que…

Il n'acheva pas.

– Accompagne-moi au télégraphe, dit-il à son ordonnance.

Et, en route, il le questionna sur ce qu'il avait pu apprendre encore de Boncœur. Mais tout ce que lui dit Corbillard était plutôt à l'éloge du sergent chauffeur. Surtout il apparaissait que celui-ci ne présentait rien de mystérieux. Il ne s'occupait que de son « fourbi ». Corbillard avait déjà le langage du soldat.

Au bureau de poste, Gérard en sa qualité d'officier attaché à l'État-Major n'eut point de peine à obtenir une communication téléphonique avec l'hôpital militaire de Nancy. Là, Cellier lui-même lui apprenait que Boncœur était bien ce jeune homme qui habitait dans la même maison que lui, rue de la Hache, le même Boncœur qu'il avait fait entrer chez Bussein, place Stanislas, lorsque lui, Cellier, en était parti.

Gérard se rendit aussitôt chez le général.

Celui-ci avait installé ses bureaux dans une maison isolée, tout à l'extrémité de la ville basse. La maison était entourée d'un grand jardin, protégé de hauts murs.

Le cabinet de travail du général donnait de plain-pied sur le jardin par une porte-fenêtre et, de ce cabinet, il était facile de surveiller toutes les allées et venues. La solitude dans laquelle se trouvait cette maison était à la fois des plus agréables et des plus utiles ; disons, dans la circonstance, nécessaire.

C'est dans son bureau personnel que Gérard rencontra le général. Il était en train de faire subir à son aménagement une modification importante. Boncœur, sur ses indications, lui dressait un lit de camp dans une petite pièce qui donnait directement sur le bureau et qui avait servi jusqu'alors de cabinet de débarras. Aucune porte ne séparait ce cabinet du bureau, et la portière qui avait été suspendue entre l'une et l'autre était toujours relevée par une embrasse.

– Tu vois ma nouvelle chambre, dit le général à Gérard, c'est là que je coucherai désormais.

– Et si vous voulez, mon général, quand vous dormirez, moi je veillerai !

– Si tu veux !...

– Mon général, j'aurais quelque chose d'assez important à vous dire.

Et il lui montra Boncœur du coin de l'œil. Le général dit :

– C'est bientôt fini, Boncœur ?

– C'est fini, mon général !

Et il s'en alla.

– Savez-vous ce que faisait Boncœur avant de venir chez vous ?

– Mon garçon, je t'ai déjà répondu qu'il avait été chauffeur chez ton père... Il était donc et est encore chauffeur d'automobile.

– Pardon, mon général, quand il est entré chez vous, vous savez bien qu'il ne sortait point directement de chez mon père. Vous a-t-il dit d'où il venait ?

– Sans doute, mais je n'y ai point attaché d'importance parce qu'il m'était si bien recommandé. À quoi veux-tu en venir ?...

– Boncœur, mon général, avant de venir chez vous, faisait de la photographie et était employé chez Bussein, l'espion fusillé dans les premiers jours de la guerre !

– Qu'est-ce que tu me dis là ? Ça n'est pas possible ! Comment le sais-tu ?

– Par un brave garçon qui habitait la même maison que lui, rue de la Hache, à Nancy !...

Et Gérard raconta son coup de téléphone à Cellier.

Le général, très ému, fit appeler aussitôt Boncœur.

– Surtout, n'ayons l'air de rien savoir, recommanda-t-il à Gérard. Laissons-le s'empêtrer s'il est en faute.

Le chauffeur parut. Gérard écrivait dans un coin ; le général était occupé à compulser des paperasses.

– Vous m'avez demandé, mon général ?

– Oui, dites-moi donc, Boncœur, c'est pour un service. Nous sommes dans la nécessité de fournir des renseignements particuliers sur tous les hommes qui sont employés à un titre quelconque dans le service... je ne me rappelle plus chez qui vous étiez chauffeur quand je vous ai pris chez moi, avant la mobilisation...

– Mon général, j'avais été chauffeur avant de venir chez vous, bien sûr, mais...

Ici Boncœur se troubla...

– Mais quoi ?...

– Eh bien ! mon général, je dois vous dire qu'avant de rentrer chez vous, je faisais de la photographie...

– Mais il n'y a pas là de quoi se trouver mal, mon garçon !… C'est très honorable de faire de la photographie…

– Oui, mais, mon général, je vais vous avouer une chose…

– Quoi donc ?…

– C'est que je faisais de la photographie chez… enfin j'ai été employé chez Bussein !…

– Quel Bussein ?

Boncœur paraissait de plus en plus embarrassé… cependant il ne baissait pas la tête et il continuait de regarder bien droit dans les yeux du général… enfin il se décida et dit, à mi-voix :

– Eh bien, chez l'espion Bussein… qui a été fusillé !

– Ah !…

– Oui, mon général !…

Il y eut un silence…

– Et vous ne m'aviez jamais dit ça ?

– Non, mon général.

– Pourquoi ?…

– Parce qu'il n'y a pas de quoi s'en vanter, mon général !… Je ne l'ai dit depuis ni à vous ni à personne !…

– Mais quand je vous ai pris chez moi, Bussein n'avait pas encore été arrêté comme espion !…

– Non, mon général…

– Alors, vous auriez pu m'en parler…

– Mon général, je croyais que M. Hanezeau, qui avait eu la bonté de s'occuper de moi, vous en avait parlé… mais quand l'affaire a éclaté, je me suis dit : « Sûr le général va me remercier ! », car on est empoisonné pour toute sa vie quand on a servi chez ces canailles-là !… Quand j'ai vu que vous ne m'en parliez même pas, je me suis dit : « Le général Tourette ne sait rien ! », et j'avoue, mon général, que je n'ai pas eu le courage de vous renseigner, c'est vrai ! je m'en accuse !...

Tout cela avait été dit avec une grande simplicité bien qu'avec une émotion contenue que l'on sentait prête à éclater.

Le général regarda Gérard qui continuait d'écrire... puis son regard vint retrouver Boncœur qui avait les yeux humides.

- C'est bien embêtant, cette histoire-là ! finit-il par dire.

- Oui, mon général, c'est bien embêtant pour moi !...

- Et pour moi donc ! Remarque que je ne doute point de ton honnêteté ! Depuis que tu es à mon service, je n'ai pas eu une observation à te faire !... Mais enfin, tu sais que nous sommes ici dans un service tout à fait spécial et tu connais les mauvaises langues : si on savait que dans mon service j'emploie un ex-photographe de chez Bussein !...

- Ça, certainement, mon général !... Oh ! je comprends bien ! reprit mélancoliquement Boncœur... c'est parce que j'ai compris ça que je restais muet comme une carpe et aussi que je me tenais toujours à ma place, plutôt deux fois qu'une, pour qu'on n'ait jamais rien à me reprocher, ni aujourd'hui ni plus tard !... Je comprends aussi que partout où j'irai ce sera la même chose !... Je comprends tout, mon général, je comprends tout !... Alors vous allez me remercier ?...

- Et toi, Boncœur, qu'est-ce que tu vas faire ?...

- Moi, mon général, je vais me faire sauter le caisson !

- Idiot, va !...

Le général était assurément aussi ému que Boncœur qui, maintenant, pleurait à chaudes larmes...

- Eh bien ! Gérard, qu'est-ce que tu en dis ?...

Gérard quitta un instant ses écritures :

- Qui est-ce qui vous avait fait entrer chez Bussein ?

– Un camarade qui habitait la même maison que moi, rue de la Hache, un nommé Mathurin Cellier…

– Il connaissait donc Bussein ?

– Il sortait de chez lui. Il savait que j'étais sans place… Il m'a dit : « Vas-y » et j'y suis allé !… mais j'aurais dû me méfier… il m'avait prévenu qu'il y avait beaucoup de Boches là-dedans… et qu'on devait y manigancer des choses pas très catholiques…

– Et tu y es allé tout de même ?

– Oui, on m'offrait vingt-cinq francs de plus que ce que je gagnais aux Galeries où j'allais entrer en attendant une bonne place de chauffeur que m'avait promise M. Hanezeau…

– Et chez Bussein, qu'est-ce que tu as remarqué ?…

– Mon lieutenant, je dois dire la vérité, je n'y ai rien découvert qui pût me faire soupçonner l'espionnage, sans cela ça n'aurait pas traîné !… mais on y parlait trop boche et on y tenait des propos qui n'étaient pas toujours agréables à entendre… c'est pour ça que j'en suis sorti… je suis allé trouver M. Hanezeau et je lui ai dit : « Je n'y tiens plus, c'est des Allemands ; faites-moi entrer dans une maison française !… » C'est alors qu'il m'a répliqué :

« – Et si je te faisais entrer chez un général ?

« – Tout de suite, que je lui ai répondu, et pour rien !

« V'là toute l'histoire, mon lieutenant. Si défunt votre père était là il n'aurait pas un mot à ajouter !

Il leva la main et dit d'une voix grave : « Je le jure ! »…

– C'est bien, mon garçon, déclara le général Tourette, en lui tapant sur l'épaule, retourne à ta machine…

– Alors, vous me gardez ? mon général ?…

– Mais bien sûr que je te garde !… es-tu bête !…

Boncœur n'eut qu'un sanglot et il se prosterna sur la main du général qui le mit à la porte avec une bourrade.

- Qu'est-ce que tu en dis ? demanda assez brusquement le général à Gérard, quand ils furent seuls. N'ai-je pas bien fait ?... Il ne fait pas l'ombre d'un doute que c'est là un très brave garçon !... Et je le connais, il se serait fait sauter le caisson comme il le disait, tu sais !...

- Je n'aime pas beaucoup, dit Gérard, les soldats qui parlent de se faire sauter le caisson en temps de guerre !...

- Décidément, tu l'as bien pris en grippe.

- Non, mon général, n'en croyez rien !... Seulement, je commence à mettre à exécution notre programme : « *Surveillons-nous les uns les autres et méfions-nous de tout !...* »

XII
L'arrivée du train de 18 h 55 et le départ du train de 19 h 37

La nuit qui suivit, Gérard était en train de travailler dans le bureau du général quand on frappa doucement à la porte. Il alla ouvrir. C'était Corbillard.

Gérard lui montra d'un geste le fond du petit cabinet dans lequel le général reposait sur son lit de camp et lui fit signe de se taire. Corbillard s'était vivement glissé dans le bureau. Gérard ferma la porte derrière lui.

Puis il ouvrit très doucement encore la porte-fenêtre qui donnait sur le jardin et lui fit signe de le suivre. Tous deux allèrent s'asseoir sur un banc, à quelques pas de là.

Ils étaient en pleine nuit, et Gérard, invisible, voyait, lui, tout ce qui pouvait se passer dans le bureau. Il questionna Corbillard à voix basse :

- Tu as quelque chose de nouveau ?...

- Oui !

- Important ?

- Peut-être !... Voilà ce qui s'est passé... Ce soir, à six heures et demie, à l'heure de la soupe, je vois Boncœur qui se lève et qui s'apprête à quitter la cuisine.

« - Tu ne manges pas, que je lui dis.

« - J'ai pas faim, qu'il me répond... j'ai un peu mal à la tête... je vais faire un tour en ville, ça me fera du bien !

« Et le v'là parti !... Moi, j'avais grand-faim et grande envie de manger ma soupe mais cette sortie-là ne me paraissait pas naturelle, car, à l'ordinaire, Boncœur a bon appétit et ne se fait pas prier devant le frichti... Je regarde par où qu'il va... J'attends qu'il ait pris de l'avance, tourné, au coin du chemin, et je détale à mon tour.

« Je l'ai suivi comme ça, dans la traversée de la ville, sans qu'il m'aperçoive... Du reste, il n'avait pas l'air gêné et je dois dire la vérité : il ne se cachait pas... Il ne regardait même pas derrière lui s'il était suivi... Il va comme ça, jusqu'à la gare... Là, il s'arrête un instant à la terrasse du café de la Gare, et, chose qui m'a bien étonné puisqu'il prétend qu'il ne prend jamais rien, il demanda une consommation mais il demanda aussi, en même temps, de quoi écrire... Il écrit vite quelque chose qu'il met sous enveloppe, glisse l'enveloppe dans sa poche, et...

– Tout cela à la terrasse ?

– Ben oui !...

– Il ne se cachait pas...

– Ben non ! je vous l'ai dit : il ne se cachait pas... Et puis le voilà qu'il se dirige vers la gare... je le suis... il entre dans la gare... il pénètre sur le quai... avec son brassard de l'État-Major, on le laissait passer partout... Du reste, les employés le connaissaient ; il leur parlait en passant... moi, je me présente à mon tour... on m'arrête, mais je n'ai qu'à dire : « Je suis envoyé par le général Tourette pour une commission à Boncœur »... On me laisse passer aussi... je regarde sur le quai de la gare... et j'aperçois Boncœur auprès de la boîte aux lettres.

– Il venait de mettre sa lettre à la poste, sans doute... et c'était sûrement pour cela qu'il était venu à la gare...

– Peut-être bien !... mais je ne l'ai pas vu mettre la lettre à la boîte... Toujours est-il que lui, il m'aperçoit. Je fais aussitôt celui qui est enchanté de le trouver et je lui dis : « Je cours après vous parce que le lieutenant m'a chargé de vous dire de tenir l'auto prête pour demain matin cinq heures, et comme vous m'avez dit qu'il y avait une réparation à y faire... »

– Pendant que tu lui disais cela, Corbillard, quelle tête faisait Boncœur ? Avait-il l'air ennuyé ?

– Pas le moins du monde, je n'avais même pas l'air de le gêner. Il m'a entraîné au buffet en me disant : « Je vous paie un verre, Corbillard, et je vais vous montrer quelque chose de bien rigolo. » Je me disais : « Attention ! ça n'est pas naturel qu'il t'offre à boire, lui qui ne prend jamais rien ! sûr, il va te saoûler ! Attention ! »... Eh ben ! pas du tout !... Lui, il a pris *un verre de soldat,* qui disait, comme qui dirait de l'eau de Seltz, dans un grand verre.

- *Un verre de soda !*

- C'est ça, *un verre de soldat...,* même que je lui ai dit : « Si c'est un verre de soldat, maintenant, c'est bien malheureux pour la France car c'est pas en se gargarisant avec cette flotte-là que nos pères ont pris Sébastopol ! »... Il m'a répondu que le gouvernement voulait que l'on soit sobre, que c'est pour ça qu'il avait supprimé l'absinthe, etc., etc. ! Bref, que j'avais tort de boire comme ça ! Et il en a profité pour ne pas m'offrir un second verre et pour me faire un cours de tempérance...

« - C'est ça que tu voulais me montrer de rigolo ? que je lui dis, assez vexé car je croyais qu'il se payait ma tête, carrément !

« - Non, qu'il me dit, ce que je veux te montrer, c'est l'arrivée du train de 6 h 55... le train de Paris ! Ah ! Corbillard, vous allez rigoler !... (car il me dit *vous* et moi je lui dis *tu...* preuve qu'il y a quelque chose qui ne colle pas entre nous)...

« Bref, il m'a conduit sur le quai à l'arrivée du train de 6 h 55... et, moi, je n'ai pas trouvé ça rigolo du tout...

« Nous avons vu débarquer du train un tas de petites femmes bien mignonnes, ma foi, mais qui se sont mises toutes à pleurer quand on les a priées de passer dans le bureau du commissaire... Il y en avait qui protestaient, disant qu'elles avaient les papiers qu'il fallait !... Il y en avait d'autres qui disaient : « Je suis venue pour voir ma cousine !... si on n'a plus le droit de venir voir sa cousine, maintenant !... Tenez, elle est là-bas, ma cousine, elle m'attend ! » Et y en avaient d'autres qui disaient qu'elles étaient venues pour affaires, et d'autres pour se placer... et que c'était abominable de les empêcher de gagner leur vie !... Tout ça, naturellement, ça n'était pas vrai et ça se voyait bien !... Elles étaient toutes venues, les pauvres petites, dans l'espoir de passer quelques instants avec leur mari ou leur amoureux qui était sur le front et qui devait se trouver pour l'heure à Bar-le-Duc !...

« Il y en avait, surtout, à la sortie de chez le commissaire, qui sanglotaient que ça faisait pitié ! Ah ! les pauvres petites poules ! et gentilles, vous savez !... Faut vraiment avoir un cœur de marbre pour refuser quelque chose à ces petites poules-là !... « Et tu trouves ça rigolo, que je dis à Boncœur ! c'est donc que t'as pas bon cœur, comme ton nom l'indique ! »...

« Il ne me répondit pas.

« Il regardait toujours les poules d'un air bête et avantageux. Ça, il est assez joli garçon, mais enfin ça n'est pas un phénix ! Aussi je me suis mis à hausser les épaules quand il m'a dit : « En v'là une petite brune là-bas que je consolerais bien ! » Pour ça, elle était à croquer et elle pleurait à fendre l'âme... On l'a fait entrer, en sortant de chez le commissaire, dans la salle d'attente des premières avec toutes les autres... Oui, on les a toutes enfermées là-dedans, comme dans un poulailler !...

« – Eh ben, maintenant, qu'est-ce que t'attend ? que je demande à Boncœur.

« – J'attends le départ du train de 7 h 37... C'est encore plus rigolo que l'arrivée du train de 6 h 55 !... Maintenant, monsieur Corbillard, si cela ne vous amuse pas, je ne vous retiens pas !...

« – Ah ! que je dis, que je sois là ou ailleurs, faut bien que je sois quelque part...

« – Mon ami, qu'il dit, c'est comme vous voudrez !...

« Mais j'étais bien intrigué de le voir rester là, et je me suis assis sur un banc pour voir ce qu'il allait faire. Certainement je le gênais, mais il essayait de ne rien en laisser paraître...

« Et voici encore ce qui s'est passé : quand le train de 7 h 37 qui va sur Paris est entré en gare, on a fait sortir toutes ces dames de leur salle d'attente et on les a empilées tant bien que mal dans les compartiments et dans les couloirs. C'étaient des gémissements, des cris, des pleurs, et quelquefois une vraie rage.

« La plus tranquille était encore la petite brune qu'avait indiquée Boncœur. Il a trouvé le moyen de s'approcher d'elle dans la bousculade et certainement ils se sont parlés. J'ai même cru voir que Boncœur lui glissait un papier dans la main, mais de ça, je ne pourrais point jurer ! Quand le train a été parti, Boncœur est venu me retrouver et m'a dit :

« – C'est vous qui avez raison, Corbillard, ça n'est pas rigolo du tout… Ces pauvres filles, on finit par les plaindre.

« – Vous avez consolé la petite brune, que je lui dis.

« – J'ai été lui dire deux mots, elle m'intéresse… je lui ai demandé le nom et la situation de son ami pour aller lui dire qu'elle était venue et que je l'avais vue, mais elle ne m'a même pas répondu…

« Boncœur a menti, ma capitaine, la petite lui avait très bien répondu et si vous voulez toute mon idée, eh bien je pense qu'ils doivent certainement se connaître tous les deux… »

Corbillard arrêta là son récit.

– C'est tout ce que tu as à me dire ?

– C'est tout. C'est peut-être pas grand-chose.

– C'est au contraire, très important. Continue à surveiller Boncœur, Corbillard… Maintenant, tu peux aller te coucher…

Or, le lendemain soir, Corbillard revint trouver Gérard et lui dit :

– Ma capitaine, ça a recommencé ! Il est retourné au train de 6 h 55. Seulement, cette fois, j'avais pris mes précautions. Quand je l'ai vu se diriger sur la gare en père peinard, j'ai pris de l'avance et, par un détour, je suis arrivé à la gare avant lui et je me suis caché dans un coin où il ne pouvait pas me voir. Et alors, voilà ce qui s'est passé :

« Le Boncœur à l'arrivée du train s'est rapproché d'une petite femme qui débarquait avec quelques autres et que l'on dirigeait, comme la veille, vers la salle du commissaire ; la petite femme s'est retournée vers lui et lui a souri, *cette fois, c'était une blonde* !

« Quand on a reconduit ces dames au train de 7 h 37, Boncœur s'est mis sur un marchepied et a serré la main de la petite femme, à la portière. Et j'ai bien vu, cette fois, tout à fait vu, qu'il lui remettait une lettre, un pli, un papier, quoi !… un morceau de papier blanc qui a disparu dans le gant de la petite femme…

« Le train parti, Boncœur a quitté la gare très préoccupé et n'a point vu que je le suivais pas à pas… Plus j'y pense, ma capitaine, et plus je crois que ce Boncœur-là, avec sa mine franche et réjouie, et son joli nom, manigance quelque chose de pas propre…

– Tais-toi, Corbillard, on ne te demande pas de penser ! Continue de regarder et de voir, cela suffit…

Corbillard alla se coucher et le lendemain matin, Gérard mit le général Tourette au courant des incidents Boncœur.

Le général se montra aussitôt très inquiet et fit venir Boncœur.

Il lui demanda brutalement, en le regardant entre les deux yeux :

– Qu'est-ce que tu vas faire tous les jours à la gare à l'arrivée du train de 18 h 55 et au départ du train de 19 h 37 !

Boncœur blêmit :

– C'est Corbillard qui vous a dit ça, mon général ?

– Ce n'est pas ce que je te demande !…

– Eh bien, mon général, je ne vous le cacherai pas plus longtemps, j'y vais voir ma bonne amie…

– Crédié ! jura le général en fronçant les sourcils et en jetant à Boncœur un regard foudroyant… Crédié ! tu ne me le cacheras pas plus longtemps, dis-tu ?… Je trouve que tu me caches bien des choses, moi, pour un homme qui m'a promis de ne rien me cacher du tout !… Tu vas me dire tout en détail, tu entends, et tâche de ne pas te tromper, je te le conseille !

– Mon général, j'aime une petite modiste du faubourg Saint-Jean. Elle travaillait avant la guerre chez « Mathilde », elle s'appelle Thérèse Béchardet, je lui ai promis le mariage. Je la considère comme ma femme, et, pour tout vous dire, elle est enceinte de trois mois. À la déclaration de guerre, on croyait que Nancy tomberait tout de suite aux mains des Boches ; j'ai été le premier à lui conseiller, à lui ordonner de partir. Elle est allée à Paris où elle a une cousine qui a bien voulu la prendre chez elle. Cette cousine s'appelle Julie Toche, elle est veuve, elle habite 36 *bis,* rue du Faubourg-Saint-Denis. Ma petite amie ne m'avait pas revu depuis la déclaration de guerre. Un télégramme de moi lui avait appris que nous étions de retour à Bar-le-Duc. Elle connaissait des personnes à Bar-le-Duc, ça ne lui a pas été difficile de se procurer à Paris les papiers qui lui ont permis de prendre le train.

« Mon général, ma petite amie et moi, nous aurions bien donné quelques années de notre jeunesse pour passer maintenant quelques heures ensemble… ça n'a pas réussi… Elle est arrivée hier et on lui a fait reprendre le train suivant. J'étais sur le quai de la gare, j'ai réussi à m'approcher d'elle et à échanger avec elle quelques phrases rapides. Ah ! ça n'a pas été long…

– Comment est-elle, votre petite amie ?… interrompit le général.

– C'est une petite brune, mon général… elle a vingt-quatre ans… Du reste, Corbillard a eu le temps de la voir et sait comment les choses se sont passées.

Le général mordait sa moustache et son regard était loin de s'adoucir… Il dit :

– Vous avez échangé quelques phrases rapides… Quelles phrases ?

– Oh ! moi, je lui ai dit : « C'est raté, ma pauvre Thérèse », et elle m'a répondu : « Je viendrai demain, je reviendrai après-demain, je reviendrai tous les jours s'il le faut, mais j'arriverai bien à passer »…

« – Ils ne te laisseront pas passer, lui ai-je répondu… Ils te reconnaîtront bien !

« – Non ! *Demain je viendrai en blonde !…*

« Et c'est vrai, mon général, qu'aujourd'hui, elle est revenue en blonde. Mais ça ne lui a pas plus servi qu'en brune. Encore aujourd'hui, nous avons pu nous dire quelques mots !... Ah ! je ne dois pas oublier ce détail, mon général, que comme je prévoyais que tout ça ne pourrait pas aboutir hier comme aujourd'hui, je lui avais écrit une lettre que je lui ai glissée de la main à la main. Dans ces deux lettres qu'elle a certainement gardées je ne lui parlais que d'elle et du petit qu'elle a dans son sein.

- C'est bon !... Tu t'es rendu coupable d'une faute très grave contre la discipline. Fous le camp !... Nous reparlerons de ça tantôt !... Je suis très mécontent de toi, tu ne te conduis pas de façon à me récompenser des bontés que j'ai eues pour toi !... Allez ! sergent ! rompez ! Je vous dis de rompre, N... de D... !...

Très pâle, Boncœur s'en alla comme s'il avait la mort dans l'âme.

- Ce bougre-là, avec toutes ses histoires, commence à m'embêter, dit le général !... Mais il n'y a pas à dire, il a réponse à tout !...

- *Trop !* souligna Gérard, j'ai l'impression, je ne vous le cache pas, mon général, que ses réponses expliquent tout trop bien ! et trop vite !... C'est si net que ça m'a l'air préparé d'avance... Certes, je le répète, il n'y a là qu'une impression... mais elle est forte !... *Il nous colle trop* quand nous croyons l'embarrasser !...

- Tout de même, tu ne crois pas que c'est...

- Un traître ?... Non !... je sais comme vous qu'il y a quelque part, autour de nous, un traître et, comme vous, je le cherche !... et quand je vois autour de nous une attitude incorrecte comme celle de Boncœur, cela m'impressionne fâcheusement et je dis que mon devoir est de me méfier, sans plus !...

- Je vais faire faire une enquête discrète sur la petite et sur la cousine, dit le général... En tout cas, ce que je ne puis imaginer une seconde, c'est la façon dont Boncœur nous trahirait. Non seulement il n'est au courant de rien, mais il n'a jamais été chargé de rien, pas même de porter un pli... je surveille mes bannettes et je brûle mes petits papiers... À propos de petits papiers, tu en trouveras un certain nombre dans un coffre qui est sous mon lit de camp... Je crois bien qu'il n'y aurait aucun danger à brûler tout cela, au contraire, mais vois toi-même et fais le tri, si c'est nécessaire… tiens, voilà la clef du coffre…

- Et Boncœur, mon général ?…

- Ah ! bien, pour en revenir à Boncœur, je vais, *entre quatre-z'yeux, salement lui laver les oreilles… Mais encore une fois que dirait-il puisqu'il ne sait rien ? je ne lui dis jamais rien !… et je n'ai jamais rien dit devant lui qui ait une valeur quelconque… Je ne lui confie, ni de vive voix ni autrement, jamais rien !…*

- Tant mieux, mon général, dit Gérard ! et je ne vous conseillerai jamais trop de continuer, car je le répète, ses réponses trop précises et trop hâtives m'ont produit aujourd'hui la plus fâcheuse impression !…

- Tu veux dire qu'il est trop innocent pour être honnête !… On irait loin avec ce système-là !… Mais enfin, méfions-nous, c'est le principal !…

XIII
Trahison !

Le lendemain de cette conversation, le général dut confier à Gérard un secret important pour la défense nationale. Il le fit en prenant force précautions et en lui renouvelant toutes recommandations propres à ce qu'un pareil secret ne fût point divulgué.

Cette conversation avait lieu après déjeuner, dans le jardin où les deux hommes fumaient un cigare. Ils se trouvaient tout seuls, loin de toute oreille indiscrète.

Quand il eut achevé ses prolégomènes, le général dit à Gérard :

- Et maintenant, allons travailler dans mon bureau. Tu prendras sous ma dictée les ordres nécessaires qui devront inspirer notre travail par la suite. Ces notes, tu ne t'en sépareras jamais ; tu les auras toujours sur toi et tu devras me les montrer à la première réquisition.

- Comptez sur moi, mon général…

Ils rentrèrent dans le bureau.

- Assieds-toi à ma table et écris !

Avant de dicter, le général alla ouvrir la double porte de son bureau et constata qu'il était tout à fait isolé. Alors il se mit à marcher de long en large, les mains derrière le dos, et dit :

Tout doit être prêt pour le 17 du mois prochain. Les approvisionnements de munitions se feront par la voie de B. S. S. de T. et de L. en A. Les dépôts seront faits dans ces trois centres comme si les munitions étaient arrivées à destination et cela avant le 8 du mois prochain. Ce n'est que le 14 suivant que toutes les munitions seront transportées de chacun de ces trois dépôts sur R. d'où elles seront dirigées vers M. Il faut que nous ayons, à cet endroit, le 17, un approvisionnement en obus pour le 75 de…

Ici le général jeta un tel chiffre que Gérard s'arrêta une seconde en le regardant.

Ce chiffre seul était révélateur de l'action immense que le haut commandement préparait pour cette date, à ce point du front.

Certainement, c'était là qu'il avait décidé d'enfoncer la ligne ennemie...

Gérard inscrivit ce chiffre et continua d'écrire sous la dictée du général avec une émotion bien compréhensible.

Il était tout pâle de se trouver dans la confidence de pareils secrets...

Ce que le général avait fait pour les munitions, il le fit pour les vivres, puis pour les installations de la Croix-Rouge et les trains sanitaires... »

Gérard continuait de prendre des notes sous cette dictée extrêmement nette où se reflétait l'intelligence la plus lucide, la plus active et la plus rapidement organisatrice...

Gérard comprenait maintenant le précieux auxiliaire que pouvait être pour le haut commandement un homme comme le général Tourette, et il en conçut dans le même moment la plus grande estime et la plus grande admiration.

Sur ces entrefaites, un planton vint l'avertir que le général du Boulois serait reconnaissant au général Tourette de bien vouloir lui dire un mot dans son automobile même qui était arrêtée devant la porte de la maison.

Le général prit son képi et sortit.

Comme l'absence du général se prolongeait, Gérard mit en ordre ses notes et les glissa dans un portefeuille plat dont il ne se séparait jamais, pas même pour dormir.

C'est alors que sa main rencontra dans ce portefeuille la petite clef du coffre rempli de papiers dont lui avait parlé le général, la veille.

Ces papiers n'avaient pas encore été triés par Gérard comme il en avait reçu l'ordre. Le jeune homme se rendit aussitôt dans le cabinet attenant au bureau, cabinet dans lequel le général avait fait dresser son lit de camp.

On sait que le coffre était sous le lit. On se rappelle également la disposition de ce cabinet par rapport au bureau. Il communiquait avec le bureau, directement ; des rideaux, retenus par des embrasses, se trouvaient à la place de la porte absente.

Dans ce cabinet qui ne recevait de jour que par le bureau, il faisait très sombre.

Dans le bureau il faisait très clair.

Et voici ce qui arriva dans le moment même que Gérard, à genoux, tirait à lui le coffre aux petits papiers.

La porte qui faisait communiquer le bureau avec l'intérieur de la maison s'ouvrit et le général Tourette entra avec Boncœur. Boncœur referma la porte et le général dit :

– Tiens ! le lieutenant est parti !...

Pourquoi, à ce moment, Gérard ne dit-il point : « Mais non, mon général, je suis ici ! » ? Fut-ce parce qu'il eut l'intuition qu'il allait assister à quelque chose de formidable ou plus simplement parce qu'il ne tenait nullement à ce que Boncœur le vît à genoux, près de ce mystérieux coffre sur lequel il jugeait inutile d'attirer l'attention d'un individu dont, instinctivement, il se méfiait ?...

La seconde raison apparaît plus plausible, mais l'autre aussi est possible...

Les grandes minutes de la vie, quand elles approchent, dégagent une électricité à laquelle ne se trompent point les natures sensibles comme celles de Gérard.

Ces natures *sentent* qu'il va se passer quelque chose ; une angoisse particulière les étreint et leur cœur bat autrement, sur un rythme plus rapide ou plus étouffé... et, quand, après un tel avertissement, *il ne se passe rien,* il n'en faut point absolument conclure qu'il n'y eut dans ce trouble physique et moral qu'une manifestation, sans conséquence, d'une faiblesse d'organisation ou d'un déséquilibre des facultés... car s'il ne se passe rien, *c'est qu'il se peut que le danger soit passé...* mais qu'on ne se trompe pas, avant de partir, *le danger était venu* !...

Or, là *il resta* et il se passa quelque chose...

Gérard, invisible dans l'ombre et dans son coin, resta à genoux.

Il s'attendait à ce que le général « lavât » fortement là tête à Boncœur et, après lui avoir infligé une punition, lui annonçât qu'il était décidé à se séparer de lui ! C'était la résolution à laquelle, le matin même, le général s'était arrêté, *avait-il dit à Gérard.*

Nous verrons qu'il ne fut point question de ceci, et voici ce que Gérard entendit.

Voici d'abord ce qu'il vit pendant qu'il entendait le général se promener de long en large, dans le bureau, devant la porte-fenêtre du jardin.

Il vit Boncœur passer devant la table à écrire du général, et, pendant quelques secondes, il ne le vit plus. Puis Boncœur revint, ayant fait le tour de la pièce, et pendant que le général continuait à marcher sans rien dire, *Gérard aperçut Boncœur tirer de sa poche un calepin et un crayon et se préparer à prendre des notes.*

– Écrivez ! lui dit le général...

« Qu'est-ce que le général peut bien avoir à dire à Boncœur pour que celui-ci *prenne des notes* ? » se demandait Gérard qui se rappelait les propres paroles prononcées par Tourette la veille : « Que pourrait dire Boncœur puisqu'il ne sait rien, que je ne lui dis jamais rien, *puisque je ne lui confie, ni de vive voix ni autrement, jamais rien !...* »

Mais enfin, il pouvait avoir à lui dicter une note de service.

Gérard attendit cette note de service avec une anxiété sans égale, car la figure de Boncœur était alors bien curieuse à regarder et bien terrible... sa physionomie ordinaire avait tout à fait changé... une ardente et inquiète curiosité était peinte sur ce masque farouche.

Boncœur écrivit fébrilement pendant que Gérard entendait le général qui dictait :

Tout doit être prêt pour le 17 du mois prochain. Les approvisionnements de munitions se feront par la voie de B. S. S. de T. et de L. en A. Les dépôts seront faits dans ces trois centres comme si les munitions étaient arrivées à destination… et cela avant le 8 du mois prochain…

Gérard, qui était à genoux, avait glissé peu à peu sur ses talons… sa main s'accrocha à une couverture… Il avait besoin de se retenir à quelque chose pour ne point s'allonger tout à fait, là, sur le plancher, et s'évanouir d'horreur… Mais un effort suprême de sa volonté épouvantée lui laissa l'usage de ses sens dans un moment où ils lui étaient si utiles. Le général dictait à Boncœur les mêmes notes qu'il avait *dictées à Gérard* ! *Il lui livrait le même secret !…*

Tout à coup, il s'interrompit. Le général et son complice devaient être dérangés par quelque chose car Boncœur, en rentrant hâtivement son calepin dans sa poche, se précipita en avant et le général se tut.

Gérard entendit ouvrir la porte-fenêtre et les deux hommes devaient être maintenant dans le jardin.

En effet, Gérard, ayant allongé la tête hors de son cabinet noir et s'étant traîné à quatre pattes dans le bureau, les vit s'éloigner tous deux dans l'allée du milieu.

Le général et Boncœur se dirigeaient vers la grille devant laquelle venait de s'arrêter une auto.

Dans l'auto, Gérard reconnut le général du Boulois qui faisait des signes à Tourette.

Gérard avait le témoin qu'il lui fallait. Il prit son revolver d'ordonnance dans le tiroir de son bureau et se précipita derrière le général Tourette et Boncœur.

Mais il n'arriva à la grille que pour voir partir l'auto qui emportait avec le général du Boulois, le général Tourette et Boncœur.

En vain il appela, il cria, il ne fut pas entendu.

L'auto était partie à toute vitesse. Il se tourna vers la sentinelle qui était là et qui s'étonnait de sa pâleur et de son agitation :

- Vous ne savez pas où va l'auto ? Il faut absolument que je parle au général du Boulois !

- Si bien ! mon lieutenant, j'ai entendu le général du Boulois qui disait à son chauffeur : « Et maintenant, à Nancy ! et en vitesse !... » Cinq minutes plus tard, Gérard montait dans une auto et prenait la route de Nancy.

XIV
Drame

Quand Gérard arriva à Nancy, il avait deux heures de retard sur l'auto du général du Boulois. Il n'avait pu éviter certains incidents de route qui l'avaient mis au désespoir.

Arriverait-il encore à temps pour faire saisir sur la personne de Boncœur la preuve de sa trahison et celle du général Tourette ?

Il se rendit aussitôt à « la place » et là sut que le général du Boulois s'était rendu avec le général Tourette chez le commissaire spécial.

Il fut en quelques minutes chez le commissaire spécial. Là, il apprit du commissaire spécial lui-même que ces messieurs, après une conférence qui avait duré plus d'une heure et qui avait eu lieu en présence du chef de la Sûreté générale débarqué le matin même de Paris, s'étaient séparés.

Le commissaire spécial ne pouvait dire à Gérard où il pourrait trouver ses messieurs, attendu qu'il n'en savait rien lui-même ; cependant il pensait qu'ils n'avaient pas quitté Nancy.

– Et le chauffeur du général Tourette, l'homme, le sergent Boncœur, qui l'accompagnait, vous ne savez pas non plus ce qu'il est devenu ?

– Ma foi non !… Mais j'imagine qu'il ne sera pas bien difficile de le retrouver !

– Il habite ici. Il doit être maintenant chez lui !… M. le commissaire, nous n'avons pas une minute à perdre. Je ne sais si vous êtes au courant du drame d'espionnage qui se passe en ce moment autour du général Tourette…

– Je suis si bien au courant, lieutenant, que j'ai assisté à cette conférence dont je vous ai parlé tout à l'heure et qu'il n'y a été question que de cela !…

– Eh bien, j'ai trouvé, moi, le traître, ou plutôt les traîtres, car ils sont deux et je vais vous les livrer !

– Vous en êtes sûr ?

– Si j'en suis sûr !... Mais, monsieur le commissaire, si nous voulons trouver encore sur l'un d'eux les preuves mêmes de leur crime, il faut courir au plus pressé. Montez dans mon auto avec quelques-uns de vos hommes et nous allons opérer tout de suite...

Nous savons que le commissaire spécial avait été mis par Monique elle-même au courant de bien des choses, dès le début de ce récit... Il connaissait Gérard Hanezeau... Il connaissait comme tout le monde l'attitude héroïque du fils de Monique... Le lieutenant venait de se présenter à lui comme le secrétaire particulier du général Tourette... le commissaire n'avait pas à hésiter... Il dit : « Lieutenant, je suis à vous, mais malheureusement en ce moment je n'ai pas un seul homme sous la main !... »

– Eh bien ! venez tout seul ! Nous ferons la besogne tout seuls !...

– Où allons-nous ?...

– Rue de la Hache.

L'auto bondit, traversa comme un bolide places, rues, carrefours...

– Si vraiment vous avez découvert les misérables...

– Je les ai trouvés !... mais ce que je redoute c'est que la preuve nous échappe !...

– Qu'est-ce que c'est que cette preuve ?

– Des notes écrites par le sergent Boncœur relatives aux desseins les plus cachés du grand État-Major...

– Alors, c'est le chauffeur du général qui...

– Oui !... un ancien employé de chez Bussein...

– Tout s'explique...

– Il faut que tout s'explique ! affirma Gérard avec une énergie si sauvage que le commissaire le regarda avec un commencement d'effroi.

– Et quel est l'autre coupable ? demanda-t-il.

– Je vous le dirai tout à l'heure, monsieur le commissaire !...

Gérard fit arrêter l'auto au coin de la rue de la Hache.

– Descendons ! si Boncœur est chez lui et qu'il nous voit arriver en voiture, il se doutera que tout est découvert et détruira les notes... laissez-moi marcher le premier... j'arriverai le premier, je me ferai indiquer l'étage, la porte. Vous arriverez derrière moi...

À ce moment Gérard reconnut deux officiers de son régiment qui passaient au coin de la rue de la Hache ; il leur fit signe...

– Messieurs, leur dit-il, je vous prie de vous mettre à la recherche immédiate du général du Boulois qui doit être en ville. Celui qui trouvera le général du Boulois viendra immédiatement nous avertir au numéro... de la rue de la Hache. Il dira au général qu'il s'agit de l'affaire d'espionnage dont il s'occupe. Monsieur le commissaire spécial et moi avons besoin de voir le général de toute urgence !

– Comptez sur nous, Gérard !...

Ils détalèrent, chacun de son côté...

Une minute plus tard, Gérard se trouvait en face d'un vieil immeuble, assez propre et qui ne présentait absolument rien de particulier. Le rez-de-chaussée était occupé par une boutique de couleurs et brosserie. Une vieille femme était sur la porte.

– Pardon, madame, demanda Gérard, mais pourriez-vous me dire à quel étage de cette maison habite M. Boncœur ?...

– Au troisième, monsieur, sur la cour, la porte en face de celle de mon fils... je crois même qu'il doit être en ce moment chez mon fils... Vous verrez, il y a sur la porte une carte de visite : « Mathurin Cellier, photographe ».

– Ah ! vous êtes Mme Cellier ?... Votre fils est donc sorti de l'hôpital, madame ?...

– Mon Dieu oui !... Il guérit si vite !... ce qui est bien dommage car il n'écoute que son cœur et il ne demande qu'à repartir...

Gérard était déjà dans l'escalier. Il y fut rejoint par le commissaire qui venait à tout hasard de réquisitionner un agent et un soldat.

– Tout va bien ! lui dit-il. Il est là, et chez un brave garçon que je connais et qui va pouvoir peut-être nous être utile... Montons en douceur... je vais frapper chez un de ses amis que je connais et auquel il doit rendre visite. Si par hasard c'était Boncœur qui venait ouvrir, je vous crierais : « Allez-y ! » et nous nous jetterions tous sur lui... Si je ne disais rien, il ne faudrait pas faire un mouvement.

Arrivée au troisième étage, la petite troupe se disposa en silence sur le palier, prête à bondir au premier signal.

Gérard frappa. Aussitôt des pas se firent entendre. Et la porte s'ouvrit...

Et Gérard ne prononça pas le fatal « Allez-y ! », car c'était Cellier qui avait poussé la porte.

Cellier avait déjà la bouche ouverte pour s'exclamer de joie en reconnaissant son « capitaine » mais Gérard mit un doigt sur ses lèvres.

– Boncœur ? demanda Gérard à voix basse.

Stupéfait de cet air de mystère, Cellier allongea la tête et fut bien plus étonné encore devant le déplacement inattendu et inexplicable de la force publique...

– Quoi qui n'y a ?... demanda-t-il en roulant des yeux comme des portes cochères...

– Boncœur ? répéta Gérard, impatienté...

– Eh bien ! Boncœur est en face. Il est venu me dire bonjour tout à l'heure. Il n'y a pas plus de cinq minutes qu'il est rentré chez lui…

– Tu vas frapper à sa porte et lui crier : « Ouvre-moi, j'ai un mot à te dire ! » Qu'il sache bien que c'est à toi qu'il va ouvrir !…

– Vous n'allez pas lui faire du mal ?…

– C'est un traître, va !…

– N… de D… !… souffla Cellier. Et il frappa :

« Ouvre-moi, Boncœur, j'ai un mot à te dire…

La porte s'ouvrit presque aussitôt.

« *Allez-y* ! » hurla Gérard. Et tous se ruèrent sur Boncœur.

Celui-ci ne tenta même pas de résister et cette capture fut la chose la plus facile et la plus banale du monde.

Seulement, on eut beau fouiller Boncœur et le refouiller, on ne trouva plus sur lui ce que Gérard était venu chercher !…

Quant à l'homme, il ne disait que ces mots : « Je ne sais pas ce que vous voulez, vous êtes fous ! »

– Monsieur le commissaire, fit Gérard, très pâle, j'accuse formellement Boncœur d'être un traître. Mais il n'est pas le seul. Je vais chercher l'autre et vous le ramener ici pendant que vous allez continuer votre perquisition. Il n'est point possible qu'en bouleversant tout ici, en fouillant les meubles, en crevant les matelas, en défonçant les murs, vous ne trouviez point la preuve de l'abominable besogne dont j'accuse cet homme, *sur mon honneur* !…

Et Gérard se précipita dans l'escalier.

– Faut-il que je vous suive, mon capitaine ? s'écria Cellier…

– Non ! reste ici ! je n'ai besoin de personne !…

Gérard se jeta dans son auto et l'auto bondit vers la rue de la Commanderie…

Gérard pensait bien qu'il trouverait là le général Tourette. Avant de descendre de voiture, Gérard arma son revolver.

XV
Suite du drame

Ce fut Juliette qui vint lui ouvrir.

– Ah ! Gérard !... Mais qu'est-ce que tu as ? Tu es pâle comme un mort !

– Le général est-il chez lui ?...

– Mais oui ! il est dans le jardin avec Gaspard... Mon Dieu, qu'y a-t-il ?...

Gérard referma la porte de la rue et pénétra dans le salon où il avait si tendrement embrassé Juliette, à son dernier passage, rue de la Commanderie.

– Va lui dire que je l'attends ici !...

Ce salon était tout à fait noir... les volets, à cause de la chaleur, n'avaient pas été ouverts...

– Gérard, tu m'épouvantes !... Gérard, qu'est-ce que tu as ?... Viens donc dans le jardin. Pourquoi veux-tu entrer dans cette cave ?...

– Dis au général que je l'attends ici !... J'ai quelque chose de très important et de très grave à lui dire, concernant le service, comprends-tu, Juliette ?...

– Bien ! bien !... Oh ! tout cela est affreux !... On ne sera donc jamais tranquille !... laisse-moi au moins ouvrir un volet...

– Je m'en charge... Va prévenir le général... vite !...

Gérard alla lui-même ouvrir un volet et referma la fenêtre...

La lumière du dehors se reflétait maintenant dans une grande glace, au fond du salon. Gérard s'y vit. Il vit un spectre.

Le général arriva presque aussitôt.

– Qu'est-ce qu'il y a, mon garçon ?... Tu as effrayé Juliette...

– Quelque chose de très grave et de très pressé... Sommes-nous bien seuls ?...

– Oui, parle !...

– Vous me dites que j'ai effrayé Mlle Juliette. Pour ce que j'ai à vous dire, il serait préférable que Mlle Juliette ne fût pas ici...

– Crois-tu donc qu'elle écoute derrière les portes ?...

Gérard ouvrit brusquement la porte du salon et se trouva nez à nez avec Juliette.

La jeune fille, prise en flagrant délit, poussa un cri.

– Juliette, gronda le général qui était furieux. Tu vas aller voir chez ces demoiselles Génin si j'y suis !...

– Mon oncle ! pardonnez-moi !... Tout cela est de la faute de Gérard qui m'effraie avec ses manières !

– Ma petite fille, tu vas nous laisser !... Ce que tu as fait là est très laid et beaucoup plus grave que tu ne pourrais le penser. Gérard et moi nous pouvons avoir des choses à nous dire, des choses qui ne doivent être entendues de personne ! Mets un chapeau et va faire un tour en ville !

Il n'y avait rien à répliquer. Juliette attrapa un chapeau de jardin qui était suspendu dans le corridor, s'en coiffa nerveusement et sortit de la maison en faisant claquer la porte.

– Eh bien ! demanda le général, très angoissé, tu vas me dire maintenant pourquoi tu m'as fait chasser Juliette...

– Oui, général, Juliette sera ma femme et je ne tiens pas à ce qu'elle soit là pour entendre ce que j'ai à vous dire !...

Le général considérait avec une stupéfaction grandissante Gérard qui lui montrait un visage de glace, une silhouette incompréhensible de mystère et d'hostilité...

– Eh bien ! parle !...

– Tantôt, à Bar-le-Duc, dit Gérard, d'une voix basse et sourde, je me trouvais dans le cabinet attenant à votre bureau quand vous y êtes rentré avec Boncœur.

– Ah ! encore ce Boncœur ! Qu'est-ce qu'il a encore fait ?… Tu as découvert quelque chose de sérieux contre lui ?… J'ai raconté au général du Boulois et au chef de la Sûreté l'histoire de la gare… et à ce propos nous nous sommes longuement entretenus du dossier *Hache…* Mais, parle, et puis « remets-toi » un peu, mon garçon… Ta voix tremble…

– Mon général, vous êtes très, très fort !

– Hein ?…

– Je dis que vous êtes, très fort !…

– Je ne comprends pas ! Est-ce que tu perds la boule ?

– Vous devriez comprendre, mon général, je vous ai dit que j'étais dans le cabinet attenant à votre bureau quand vous y êtes rentré avec Boncœur…

– Eh bien ?…

– Eh bien !… je compulsais les papiers du coffre, comme vous me l'avez ordonné… et la Providence a voulu que j'aie tout entendu !…

– Tu as entendu quoi ?… je t'affirme que tu me fais l'effet d'un fou… et que tu commences à me faire peur comme tu as fait peur à Juliette !…

– Mon général, est-ce que vous m'avez dit oui ou non ? que vous ne mêliez jamais Boncœur aux affaires du bureau ? ni de près ni de loin ?… Est-ce que vous ne m'avez point affirmé que vous ne l'aviez jamais chargé d'une commission de quelque importance ? Est-ce que vous ne m'avez pas dit textuellement : « *Ni par écrit ni de vive voix ?* »…

– Oui, je t'ai dit tout cela, et puis après ?…

– Est-ce que ce que nous avions appris de sa conduite à la gare ne nous ordonnait pas de nous méfier de lui plus que jamais ?…

– Évidemment !… mais conclus… car je t'avertis que tu m'impatientes singulièrement…

– *Eh bien, mon général, à cet homme-là je vous ai entendu dicter toutes les notes que vous m'aviez dictées à moi et que vous m'aviez ordonné de tenir secrètes !* ce qui était absolument inutile car leur importance en était suffisamment évidente.

– Mon garçon ! hurla le général en allant prendre Gérard au collet, ou tu es devenu fou, ou c'est moi qui rêve !… Quelles notes ?… qu'est-ce que tu as entendu ?

Gérard écarta brutalement le général :

– Je vous avertis que je vous défends de me toucher !

Et il tira son revolver…

– Il est fou ! il est fou ! s'écria le général… Il va m'assassiner !

Et il fit un pas vers la porte, mais Gérard y était arrivé avant lui et lui barrait le passage…

– Général, il faut m'entendre jusqu'au bout. Ce sera court !… Je vous dis que j'étais là dans le cabinet quand vous dictiez à Boncœur, qui écrivait sur son calepin : « *Tout doit être prêt pour le 17 du mois prochain !… Les approvisionnements de munitions se feront par la voie B. S. S. de T. et de…* »

Le général avait commencé par reculer devant Gérard comme devant une bête enragée ou devant un fou dangereux, mais en entendant les dernières phrases relatives aux secrets du service, il se rejeta sur lui, sans plus s'occuper du revolver que Gérard agitait toujours.

– Ah ! tais-toi, idiot !… je vais te faire enfermer !… Tu n'as pas le droit de te servir de ça !… Alors, tu as perdu la tête ?… Tu n'as pas su résister à un secret pareil !…

– *Je vous dis que j'ai tout entendu !…*

Le général se mit à trembler sur ses vieilles jambes et se laissa tomber accablé sur un fauteuil en levant au ciel des poings impuissants et un regard désespéré !...

– Cette comédie a assez duré, poursuivit Gérard, de sa voix sinistre... Apprenez, général, que j'ai dénoncé Boncœur ! À l'heure qu'il est, Boncœur a été arrêté par le commissaire spécial, chez lui rue de la Hache. Je suis venu ici *parce que j'espère ne pas avoir à vous dénoncer vivant* ! Songez à votre nièce ! Disparaissez !... Ayez un peu de courage ! L'affaire sera étouffée ! votre mort sera mise sur le compte d'un accident, et l'honneur de votre nom sera sauf !... Voici mon revolver, acheva Gérard en déposant son arme sur un guéridon devant le général... Tuez-vous !...

Le général regardait Gérard d'un air hébété, puis le revolver, puis Gérard...

Gérard continuait de fixer l'oncle de Juliette avec des yeux de feu...

Tout à coup, le général se leva, mit le revolver dans sa poche et dit :

– Où est-il le commissaire spécial ?

– Rue de la Hache, je vous le répète, chez Boncœur que je viens de faire arrêter !

– Eh bien ! allons-y ! dit le général.

– Vous n'avez donc pas entendu ce que je vous ai dit ? je vais vous dénoncer !...

– Oui ! oui ! dit le général d'une voix douce et conciliante... J'ai bien entendu !... Eh bien ! tu me dénonceras là-bas, devant le commissaire... qu'est-ce que tu veux de plus ?

– Que vous vous tuiez si vous n'êtes pas un lâche !...

– On a toujours le temps de se tuer ! dit le général.

– Le misérable ! gémit Gérard. C'est moi qui aurais dû le tuer !... Pauvre Juliette !... ma pauvre petite Juliette !...

Le général avait pris son képi et ouvert la porte…

Comme il ouvrait la porte, une auto militaire arrivait à toute vitesse et stoppa devant le perron. Un officier fit signe au général Tourette.

- C'est vous que je viens chercher, mon général. Le général du Boulois veut vous voir tout de suite…

- Où est-il le général du Boulois ?

- Rue de la Hache, mon général !..

- Cela tombe bien, fit le général Tourette en regardant Gérard…

- Oui, lui répliqua celui-ci à l'oreille, songez qu'il est encore temps !… faites-vous justice » général !…

- Nous emmenons le lieutenant avec nous, dit le général, et il poussa Gérard dans l'auto.

Il y monta après lui et refermai portière.

Puis, comme il se trouvait à côté de l'officier qui était venu le chercher, il se pencha et lui dit :

- Aidez-moi à surveiller le lieutenant Hanezeau, il vient d'être pris d'un accès de fièvre cérébrale…

- C'est vrai, mon général, je le regardais pendant qu'il vous parlait tout à l'heure… il est tout hagard... C'est dommage, un brave soldat comme lui…

- Hélas ! murmura le général, ce n'est pas le premier à qui cela arrive…

- Mon lieutenant, dit l'officier à Gérard pendant que l'auto traversait en vitesse le faubourg Saint-Jean sous un ardent soleil, voulez-vous me permettre de vous offrir ma place… vous aurez un peu d'ombre…

Gérard ne lui répondit même pas.

Alors, l'officier considéra tour à tour Hanezeau et le général.

Certes, le lieutenant Hanezeau avait une mine des plus ravagées, mais le général Tourette n'avait point bonne figure non plus…

Et il était bien excusable car ce ne doit pas être drôle de s'entendre accuser de trahison, même par un fou !…

XVI
Où l'on peut se croire à la fin du drame

Rue de la Hache, il y avait un gros rassemblement. On se demandait déjà dans le quartier ce qui pouvait bien nécessiter tant d'allées et venues militaires. On savait que le commissaire spécial était dans la maison du magasin de brosserie et on venait de voir arriver le général du Boulois.

Le bruit se répandit aussitôt qu'un des locataires venait d'être arrêté comme espion.

Quand l'auto dans laquelle se trouvaient Gérard et le général Tourette arriva devant la maison la foule criait : « À mort l'espion ! »

Le général devint d'une pâleur de cire.

Gérard descendit le premier, le général le suivit immédiatement ; l'officier, troisième, leur emboîta le pas.

- C'est donc vrai, demanda la général à l'officier, que l'on a arrêté quelqu'un dans cette maison ?

- Oui, mon général, mais je ne suis pas au courant... Le général du Boulois vous dira ce qu'il en est !

Le général monta rapidement l'escalier. Les oreilles lui tintaient furieusement.

Il craignait d'être frappé d'un coup de sang avant d'être arrivé au troisième étage. Sur le palier, enfin, il ouvrit la bouche comme s'il allait étouffer. Mais il reprit sa respiration et pénétra d'un pas assez ferme dans le petit appartement de Boncœur dont la porte était gardée par des agents. Cependant, il avait ordonné à Gérard de passer *devant lui* !

Dans la pensée de ce brave homme, Gérard était bien complètement fou, et c'était une catastrophe pour lui, général Tourette, d'avoir justement choisi, dans les circonstances difficiles que personnellement il traversait, d'avoir choisi pour premier collaborateur un garçon d'esprit faible dont la première action déchaînait un pareil scandale ! C'est accablé par le sentiment de cette infortune et de cette malchance qu'il ne méritait pas qu'il se trouva tout à coup en face du général du Boulois... Ils avaient traversé une petite pièce dans laquelle on avait placé Cellier qui devait veiller à ce que personne n'y pénétrât... C'est donc dans la seconde pièce, c'est-à-dire dans la chambre même de Boncœur que le général Tourette et Gérard se rencontrèrent avec le général du Boulois et le commissaire spécial. Boncœur était assis dans un coin sur une chaise de paille. Il paraissait appesanti, il avait les deux mains réunies sur ses genoux, on eût dit qu'il avait déjà les « menottes ». Il fixait le plancher. À l'arrivée du général Tourette, il voulut se lever, mais ses jambes lui refusèrent ce service et il retomba...

– Général ! déclara tout de suite Tourette, en allant au général du Boulois, vous me voyez atterré !... Permettez-moi de m'asseoir, je n'en puis plus !... Ainsi vous avez arrêté mon chauffeur !... Boncœur est-il coupable, ne l'est-il pas ? Je n'en sais encore rien ! Je l'ai toujours cru un brave garçon !... Je me suis peut-être trompé, mais, général, si vous l'avez fait arrêter sur la dénonciation du lieutenant Hanezeau, vous l'avez fait arrêter sur la dénonciation d'un fou !...

Gérard ne broncha pas. Il n'y eût, non plus, aucune démonstration de la part du général du Boulois ni du commissaire spécial... Qui mieux est, ils ne dirent pas un mot...

Tourette les regarda tous, tour à tour, avec un ahurissement sans limite... Ce silence écrasant commença de l'affoler...

– Vous m'avez entend... entendu ? bredouilla-t-il...

– Oui, général, dit enfin du Boulois, et c'est avec tristesse que je vous vois prendre la défense de votre chauffeur...

– Mais qu'est-ce que vous a dit le lieutenant Hanezeau ? demanda Tourette...

– Le lieutenant Hanezeau, répondit avec froideur et fermeté le général du Boulois, le lieutenant Hanezeau nous a dit tout simplement de chercher sur Boncœur, ou autour de Boncœur, les preuves de son crime.

– Et c'est tout ?…

– C'est tout ! et ce fut suffisant car ces preuves, nous les avons trouvées ici dans cette chambre !…

– Les voici ! fit le commissaire spécial en tendant le fameux calepin sur lequel Gérard avait vu Boncœur inscrire les notes dictées par le général.

Le général Tourette prit le calepin, lut, poussa un juron terrible et regarda Boncœur.

– C'est toi qui as écrit ça ?…

– Il a avoué, dit le général du Boulois, et, du reste, on n'avait pas besoin de son aveu, les notes sont bien de son écriture…

– Et il vous a dit comment il… comment il a pu se procurer ?…

– Non ! là-dessus il reste muet, et si je vous ai envoyé chercher si vite, général, c'est pour que vous puissiez nous aider à expliquer comment Boncœur a pu avoir connaissance de notes aussi secrètes !… *de notes qui auraient dû rester votre secret !…*

Le général Tourette se redressa.

Le général Tourette n'était pas petit, mais il n'avait jamais été aussi grand… Il était trapu, carré des épaules, mais jamais sa poitrine n'avait été aussi large…

– Boulois ! fit-il. Vous me connaissez depuis trente ans… Vous connaissez…

– Je connais un honnête homme, déclara tout de suite le général du Boulois, et je ne sais, général, ce qui vous prend de me le demander… Il ne s'agit pas de cela !… et vous le savez bien !… Votre honorabilité ne saurait être mise en cause… qu'est-ce que c'est qu'une histoire pareille ?… Ne nous égarons pas !… Je comprends combien l'événement vous frappe… et vous frappe plus que tout autre… mais plus que tout autre aussi, vous êtes à même de nous renseigner puisque l'événement s'est passé chez vous !… et s'il y a une imprudence commise, il faut la chercher avec nous, la trouver avec nous… et même si c'est nécessaire, je compte sur votre patriotisme pour cela, général - *s'en accuser devant nous !...* Vous savez que je suis chargé de faire l'enquête militaire relative au dossier H... le premier enquêté doit être vous, général, vous le savez bien ! et vous avez été le premier à le demander. Il faut savoir comment une pareille lettre a été écrite !... et pourquoi ?... et dans quel but ?... Il faut savoir aussi comment des notes aussi secrètes...

- *Monsieur* va vous le dire, général !...

Le général Tourette avait grandi encore. C'était un miracle, mais il était plus grand que Gérard. Oui, dans cette minute-là, il fût plus grand physiquement que Gérard qui, à l'ordinaire, était plus grand physiquement que lui. Il le dominait ; Il ne tremblait plus. C'était au tour de Gérard de trembler. Il le lui dit :

- Allez, parlez, *monsieur* ! et cessez de trembler !

- Je tremble d'horreur, fit la voix sourde de Gérard, je tremble d'horreur parce que j'accuse le général Tourette d'avoir dicté lui-même ces notes au sergent Boncœur !...

- Hein ? qu'est-ce que vous dites ?... s'écrièrent Boulois et le commissaire spécial qui se levèrent dans une grande agitation.

- Il dit, répéta Tourette, qu'il m'a entendu dicter moi-même ces notes secrètes à Boncœur ! Et je dis, moi, que pour que le lieutenant Hanezeau prétende une pareille chose il faut qu'il soit devenu fou !... Quant à moi je n'ai pas de réponse à faire à cela et je n'en ferai point d'autres ! Je jure, sur ma foi de soldat, que, chez moi, les secrets de la défense nationale inscrits dans ces notes n'étaient connus que du lieutenant Hanezeau, à qui j'en avais fait part la veille, et de moi !... Un point, c'est tout !...

- Expliquez-vous, lieutenant, ordonna le général du Boulois qui ne prenait même plus la peine de cacher son émotion.

Il aimait beaucoup Tourette et souffrait presque autant que lui. Mais peut-être celui qui souffrait le plus de tous ceux qui se trouvaient là était-il Gérard.

Cependant le jeune homme continua, sans faiblesse, d'accomplir son devoir, de dire toute la vérité, et il fit le récit complet de l'événement, tel que nous l'avons retracé dans un précédent chapitre.

Tous l'écoutaient avec une angoisse indicible : même Boncœur qui s'était à demi soulevé sur sa chaise et qui semblait comme suspendu aux lèvres de Gérard...

Quand Gérard en fut arrivé à ce passage où le général dicte :

Tout doit être prêt pour le 17 du mois prochain... Les approvisionnements de munitions se feront par la voie R. S. S. de T. et de L. en A. Les dépôts seront faits dans ces trois centres comme si les munitions étaient arrivées à destination, etc.

Le général Tourette n'y tint plus et se jeta au collet de Gérard, comme il l'avait déjà fait rue de Commanderie, mais Gérard, cette fois, ne se défendit pas et se laissa secouer.

– Tu m'as entendu, toi !... *Tu m'as entendu dicter une chose pareille,* hurla Tourette !...

– Je jure que je vous ai entendu, général !...

– Tu mens !...

– Voyons, général ! interrompit le commissaire. Calmons-nous et essayons de démêler cet affreux imbroglio. D'après vous-même, nul que vous ne pouvait dicter ces notes ?

– Je le crois bien pardieu, moi et le lieutenant Hanezeau ! mais je n'accuse pas le lieutenant Hanezeau, je le crois fou, tout simplement !

– À quel moment précis, continua le commissaire, en se tournant vers Hanezeau, avez-vous entendu le général ?

– Voici exactement, à une seconde près, comment les choses se sont passées, répondit Hanezeau. Le général venait d'entrer dans le bureau, comme je vous l'ai dit, avec Boncœur, et je me trouvais où vous savez...

– Je jure, interrompit le général, que presque aussitôt que je fus entré dans le bureau avec Boncœur, à qui je voulais faire faire ma valise puisque nous devions partir ensemble pour Nancy, je suis sorti dans le jardin parce que j'avais cru y voir passer le capitaine Tabaret qui travaille dans le petit chalet, comme vous savez ! Enfin, est-ce que c'est vrai, Boncœur ? N… de D… !… moi, Tourette, me voilà acculé à demander le témoignage d'un espion !… Si le lieutenant Hanezeau n'est pas fou et qu'il ne soit qu'un misérable, c'est moi qui vais devenir fou !… Répondez, Boncœur, est-ce vrai ? Vous ai-je quitté, oui ou non ?… Suis-je allé, oui ou non, dans le chalet où travaillait le capitaine Tabaret ?… Vous avez bien dû m'y voir entrer ?…

Boncœur répondit la tête basse :

– Je ne puis rien dire ! je n'ai rien à dire !

– Mais c'est à se casser la tête ! Répondez oui ou non, espèce de j. - f. !

Le j. - f. se contente de détourner la tête…

– Ainsi, reprit le commissaire, c'est bien à ce moment-là que le lieutenant Hanezeau prétend vous avoir entendu… Vous, général, vous répondez que vous n'étiez pas dans le bureau, mais que vous étiez dans le jardin et même dans le chalet où se trouve le bureau du capitaine Tabaret… C'est un fait qui est facile à constater si le capitaine Tabaret était là !…

– Il n'y était pas, malheureusement fit le général, l'officier que j'avais pris pour lui n'avait fait qu'entrer par une porte et sortir par l'autre… Il n'y avait personne dans le bureau…

– Alors, vous êtes revenu tout de suite ?

– Non ! pas tout de suite. J'avais à consulter un registre et je me suis bien attardé là cinq minutes…

– Avec le trajet d'aller et retour, dans le jardin, cela peut faire dix minutes d'absence, dit le commissaire, c'est pendant ces dix minutes-là que vous prétendez, lieutenant, avez entendu…

– Le général ne s'est pas absenté, dit Gérard. De l'endroit où je me trouvais, je ne pouvais voir le général, mai j'entendais son pas. Il marchait de long en large en dictant. Il ne pouvait pas dicter dans son bureau et se trouver à cent mètres de là ! dans le bureau du Capitaine Tabaret !...

– Cette contradiction entre ce que dit le général et ce que prétend le lieutenant est effrayante ! s'écria le général du Boulois...

– Mais je vous dis qu'il ment ! qu'il ment ! qu'il ment !

Et le général s'avança encore sur Gérard, les mains crispées et tendues vers sa gorge comme s'il allait l'étrangler, ce fut du Boulois qui l'arrêta...

– Ce n'est pas avec ces gestes-là, exprima du Boulois avec une certaine dureté, que nous arriverons à savoir la vérité ! Et la vérité, je veux la connaître avant de sortir d'ici !

Tourette, à cet accent nouveau, regarda du Boulois qui tourna la tête ; Tourette chancela, retomba sur sa chaise et, à partir de ce moment, ne dit plus rien.

Le lieutenant Hanezeau disait :

– Non, je ne mens pas et le général le sait bien !... Je souffre abominablement d'accomplir un pareil devoir contre un homme que j'ai toujours aimé et qui allait devenir pour moi presque un père !... Que l'on songe à la catastrophe qui me frappe personnellement dans cette affaire ! Et nul n'aura le droit de mettre en doute la parole d'un homme qui n'hésite pas à déterminer du coup la ruine de ses affections et le désastre de sa vie ! Je ne pense pas que le général meure de cette révélation que j'apporte, *sans quoi il serait déjà mort* ; je lui ai porté tout à l'heure un revolver qu'il s'est contenté de mettre dans sa poche ! quant à moi, je suis sûr que j'en mourrai et qu'une autre aussi en mourra : la nièce du général que je devais épouser ! Mais ni mon malheur, ni ma mort, ni la mort de celle que j'aime n'arrêteront sur mes lèvres la vérité !...

Un grand silence suivit cette déclaration, faite d'un ton calme et qui produisit un immense effet sur le général du Boulois et sur le commissaire spécial.

Quant au général Tourette cette fois il paraissait foudroyé.

Enfin, il donna signe de vie : il tira lentement de sa poche son revolver…

Du Boulois, le commissaire et Gérard détournèrent la tête en poussant un soupir de soulagement…

Mais leur espérance ne dura pas. Le général posa bruyamment le revolver sur la table en disant « Eh bien non ! je ne me tuerai pas !… Me tuer serait me reconnaître coupable et je suis innocent ! »…

Dans la rue, la foule augmentait, les cris montaient jusqu'à cette chambre : « À mort l'espion ! À mort l'espion ! »

– Général ! fit la voix glacée du général du Boulois, je me vois dans la nécessité de vous faire arrêter !…

Le général, devant l'inévitable, se redressa comme sous la décharge d'une pile électrique… puis il se passa une main démente sur son front en sueur et dit : « Ah ! quel bonheur, messieurs ! quel bonheur ! je sens que je deviens fou… oui, je sens… », et il regarda avec des yeux fixes le commissaire qui s'avançait sur lui…

Oui, encore quelques secondes et c'était, à coup sûr, la folie… quand, tout à coup…

… Quand tout à coup…

Mais d'abord, passons dans la pièce à côté…

XVII
Où l'on se croit à la fin du drame

La première pièce que le général et Gérard avaient traversée en entrant était une espèce d'atelier-bureau dans lequel Boncœur avait tous ses appareils de photographie, rangeait et développait ses clichés, etc.

À cause de ses connaissances professionnelles et aussi parce qu'il connaissait mieux que personne : les habitudes de Boncœur, Cellier avait été prié par le commissaire spécial lui-même de l'aider dans les recherches auxquelles celui-ci se livra après le départ de Gérard.

C'est ainsi que le calepin fut trouvé dans une « chambre noire », dissimulé dans les soufflets. Et quand le général du Boulois et le commissaire s'étaient enfermés avec Boncœur pour commencer de l'interroger, ils avaient laissé Cellier dans la première pièce pour qu'il y continuât ses recherches. Tout cela au point de vue judiciaire n'était peut-être pas absolument correct ! mais dans une affaire qui avait éclaté aussi subitement, il fallait avant tout faire vite et surtout tenter d'arriver à un résultat immédiat ! Il était difficile, puisqu'on avait besoin, dans la minute même, d'un photographe, de ne point accepter les offres de service de Cellier, qui était un brave garçon, offrant toutes les garanties.

Enfin l'affaire s'était présentée d'une façon si bizarre qu'on n'avait pas eu le temps de respecter toutes les formes judiciaires. On n'y avait même pas songé. Tout cela n'était en quelque sorte qu'une enquête préliminaire où chacun essayait de voir clair dans un imbroglio qui épouvantait et dans un crime si grand que personne ne voulût y croire.

Cellier vit donc passer le général Tourette et Gérard dans l'état que nous avons dit. Quand la porte de la chambre se fut fermée sur eux :

– Mâtin ! fit Cellier, ils n'ont pas l'air cousins tous les deux !...

La porte de la chambre était une solide porté de chêne et la disposition de l'appartement faisait qu'il était à peu près impossible d'entendre ce qui se passait dans cette chambre quand on était dans la première pièce. Du reste, Cellier qui était un honnête homme, n'écoutait pas...

Cependant, bien qu'il n'écoutât point, il entendait çà et là quelques phrases, quand ces phrases étaient, *criées.*

Ainsi il entendit tout à coup :

– *Tu m'as entendu, toi !... Tu m'as entendu dicter une chose pareille !... Tu mens !*

Cette voix était la voix du général ! Ainsi, le complice que Gérard avait promis de dénoncer, le complice de Boncœur, c'était le général Tourette !...

Cellier en fut, un instant, comme paralysé !... Cela lui faisait une peine infinie qu'un général français... cette accusation de Gérard était épouvantable et frappait au cœur le brave garçon... Était-il possible de croire une seconde... Non ! non !... Lui, Cellier se refusait à y croire !... et certainement le lieutenant devait se tromper...

« Tu m'as entendu, toi !... Tu m'as entendu dicter une chose pareille ?... Tu mens ! » Ces mots prononcés avec le ton de la plus vive indignation lui arrachaient le cœur... Un homme qui parlait avec cet accent-là était innocent !...

Et c'était pourtant cet homme-là que Gérard accusait ! Et Gérard prétendait avoir entendu le général dicter... dicter lui-même... quoi ? sans doute des choses de la plus haute importance !... Et le général niait !...

Peu à peu Cellier se remit cependant de cette grosse peine et continua ses recherches... Il les continuait en se disant à chaque instant : « Est-ce possible ? un général français ?... Ah ! non, c'est pas possible qu'un général français... »

Soudain, il ne remua plus ; sous un morceau de voile vert comme en ont les photographes pour se couvrir la tête quand ils font poser le client... oui, au fond d'un placard, sous un morceau de voile vert qu'il avait soulevé, Cellier venait de découvrir un appareil photographique...

… Mon Dieu ! un appareil photographique bien ordinaire…

… Un appareil photographique comme il y a beaucoup d'appareils photographiques…

Mais cet appareil rappelait à Cellier, et d'une façon aiguë, d'autres appareils…

… D'autres appareils que le lieutenant et lui avaient découverts dans des circonstances bien tragiques au fond d'une cave de Chéneville-sous-Arracourt…

… Appareils attachés d'une façon bien curieuse à divers objets comme valises, nécessaires de toilette, etc…

… Si curieux, en vérité, qu'ils avaient eu la curiosité, le lieutenant et lui, de voir d'un peu près comment ces appareils étaient faits, mais hélas ! le sort des combats leur avait enlevé justement ces appareils, dans le moment même où ils allaient satisfaire cette curiosité… Eh bien, cet appareil-là, que Cellier avait devant lui, au fond de ce placard, n'était attaché à rien… mais il semblait avoir été caché là… déposé en hâte sous ce voile, au fond de ce placard…

Et cet appareil était absolument semblable à ceux d'Arracourt… Alors…

Alors, Cellier allongea la main, prit l'appareil, le regarda sur toutes ses faces, et soudain, en ôta le couvercle.

Aussitôt le jeune homme poussa une exclamation d'étonnement…

Il y avait là-dedans tout un singulier engrenage qui ne rappelait en rien l'intérieur d'un appareil photographique… Il y avait là un rouleau sur lequel on ne voyait aucune pellicule photographique… il y avait là un petit cornet, un minuscule cornet dont l'usage ne se découvrait point tout de suite.

Très intrigué, Cellier toucha à une sorte de petite pile électrique qui se trouvait dans un coin et il appuya à tout hasard sur un bouton…

Alors… Alors, voilà que tout à coup le rouleau tourna…

Et tout à coup, du petit cornet, *la voix du général Tourette sortit et se mit à dire* : « *Tout doit être prêt pour le 17 du mois prochain… les approvisionnements de munitions…* »

Cellier poussa un véritable beuglement : « Ouvrez ! ouvrez ! » hurla-t-il en se précipitant sur la porte de la chambre et en lui administrant de furieux coups de pied…

La porte s'ouvrit aussitôt, et, entre les mains de Cellier, au fond de la boîte soi-disant photographique, *la voix du général Tourette continuait de dicter* : « *Les approvisionnements de munitions se feront par la voie B. S. S. de T. et de L. en A. Les dépôts seront faits dans ces trois centres*, etc. !… »

Le *faux nom* était un *phono* !

Espionnage et calembour !

De quoi faire tuer et de quoi faire rire !

XVIII
Où le drame repart

Juliette, mise aussi brutalement à la porte par le général Tourette, n'était pas allée bien loin.

Son « tour en ville » n'avait pas été long. Elle était allée tout simplement au coin de la rue et là avait attendu et épié la sortie de Gérard.

Elle n'était point contente de son fiancé.

Ce n'est même point dépasser la vérité que de dire qu'elle était furieuse contre lui. Elle ne lui pardonnait point de l'avoir traitée avec cette désinvolture et de l'avoir fait surprendre par son oncle en flagrant délit d'écouter aux portes.

Et elle se promettait de lui servir un « savon » d'importance dès qu'il sortirait…

Sur ces entrefaites, une auto s'était arrêtée à la porte de la maison ; un officier se trouvait dedans. Tourette et Gérard étaient sortis ensemble de la maison et étaient monté dans l'auto. Celle-ci était repartie en si grande vitesse qu'au tournant de la rue elle avait failli écraser Mlle Juliette.

Mais personne ne s'en était aperçu !

Mlle Juliette avait poussé un cri autant pour exprimer son effroi que pour attirer l'attention de son fiancé, mais son fiancé avait fait comme s'il n'avait rien entendu et il n'avait même pas tourné la tête.

L'oncle non plus !…

À quoi pensaient-ils ?… Quelles étranges mines ils avaient !

Quelle était cette nouvelle si grave que Gérard était venu apporter en si grand mystère au général ?…

Est-ce que les Allemands avaient rompu nos lignes ?… Marcheraient-ils une fois encore sur Paris ?…

Juliette rentra chez elle, très agitée et excessivement inquiète. En outre, il lui restait un grand ressentiment contre Gérard qui l'avait traitée en petite fille et n'avait rien voulu lui dire…

Où était parti le général ?… Quand reviendrait-il ? Reviendrait-il avec Gérard ?… Serait-il longtemps à revenir ?

Deux heures se passèrent, horribles pour Juliette.

Enfin elle entendit la porte de la rue qui s'ouvrait.

Elle se précipita.

C'était le général qui rentrait.

Il lui cria : « Apporte-moi un siphon bien frais et un citron ! tout de suite !… J'ai une soif terrible !… »

Elle courut à la cuisine. Il monta dans la salle à manger.

Quand elle revint avec son siphon et son citron, elle le trouva assis dans le grand fauteuil de cuir, un coude appuyé à la table et la tête dans sa main. On eût dit que cette belle couleur de brique, ornement de ses vieilles joues de soldat, avait fui pour toujours.

– Mon oncle, qu'est-ce que vous avez ? Vous êtes malade ?

– Non ! non ! je me porte très bien au contraire, mais j'ai très soif !… allons ! donne-moi ça !… et puis ne me regarde pas comme ça !… Tu vois bien que je n'ai rien !… Je ris !

Et, en effet, il se mit à rire.

– Tu ne sauras jamais pourquoi je ris, dit-il, mais je te jure *qu'il y a de quoi* !…

– Eh bien, dites-le moi !…

– Non ! non !… et il secoua la tête en reprenant son rire sec, un rire qui ne plaisait pas à Juliette. Celle-ci le regardait fabriquer sa citronnade et se demandait comment, en deux heures, le général avait pu, à ce point, changer. Car, en vérité, dans ces deux heures-là, le général avait vieilli.

– Il y a de mauvaises nouvelles ? demanda Juliette. Je suis une grande fille, il faut tout me dire, mon oncle !…

– Non ! non ! il n'y a pas de mauvaises nouvelles !… Au contraire, elles sont excellentes, les nouvelles !…

– Alors que venait faire Gérard avec son air lugubre, et pourquoi faisiez-vous ces têtes affreuses tous les deux quand vous êtes sortis de la maison ?…

– Tu ne le sauras jamais ! Tu ne le sauras jamais !

Il avala sa citronnade d'un trait et poussa un long soupir…

– Oh ! que j'avais soif ! dit-il… Ah ! ça va mieux !… ça va mieux !… Oui, j'ai eu un léger malaise !… c'est aussi qu'il fait vraiment chaud !… quand je pense à nos pauvres petits bougres dans les tranchées…

– Alors, vous ne voulez pas me dire ?…

– Non, ne me parle plus jamais de ça !

– C'est donc bien terrible ?…

– Je te dis que c'est risible !…

Et il se mit à pleurer !

Elle se jeta dans ses bras :

– Mon oncle ! tu as de la peine ! Mon oncle ! qu'est-ce que tu as ?… qui est-ce qui t'a fait de la peine, mon oncle ?…

Elle ne l'avait jamais vu pleurer, elle était épouvantée. Elle pleura avec lui… Il pleura silencieusement… Les larmes ne cessaient pas de couler sur ses rudes joues…

– Mon oncle ! mon oncle ! dites-moi pourquoi vous pleurez ?… Je vous consolerai, je vous aime tant, mon oncle !…

Elle l'embrassait, le cajolait comme un enfant, l'entourait de ses bras, mêlait ses pleurs aux siens… et lui continuait toujours de pleurer en silence. C'était effrayant.

Tout à coup, la sonnette de la porte d'entrée se fît entendre...

– Je n'y suis pour personne, dit le général... Si c'est Gérard, tu lui diras que je viens de repartir pour Bar-le-Duc.

Elle alla ouvrir. C'était Gérard. Il paraissait encore plus « bouleversé » que la première fois qu'il était venu sonner à cette porte, dans cette journée fatale.

– Le général est reparti pour Bar-le-Duc, dit-elle.

Il ne lui dit rien, mais il entra, et, malgré elle, passa.

La porte de la salle à manger était ouverte. Il se trouva nez à nez avec le général qui s'était levé...

– *Monsieur !...* prononça le général...

Gérard était déjà à ses genoux.

– Vous ne me pardonnerez jamais ! dit Gérard, prosterné, mais je veux quand même vous demander votre pardon, parce que c'est mon premier devoir. Mon second est d'aller me faire tuer à l'ennemi !...

Le général ne répondit rien.

Juliette assistait à ce spectacle sans le comprendre et debout, contre le mur, semblait la statue de l'effroi.

Gérard se releva.

– Adieu ! mon général, dit-il, vous ne me reverrez jamais !... Adieu, Juliette !...

Et il partit.

On entendit son pas sonner sur le carreau du long corridor qui conduisait à la porte d'entrée...

Juliette n'avait pas bougé et regardait le général.

Tout à coup le général s'écria :

– Va le chercher ! mais va donc le chercher, je te dis !... Dis-lui qu'il revienne, que j'ai quelque chose à lui dire !...

Elle se détacha du mur et vola sur les traces de Gérard. Elle le rattrapa comme il mettait le pied dans la rue et elle revint avec lui :

– Vous avez quelque chose à me dire, mon général...

– J'ai à te dire que je te pardonne !

Et il lui ouvrit ses bras. Gérard s'y jeta et ce fut à son tour de sangloter. Il ne pouvait pas prononcer un mot. Juliette pleurait.

Le général ne pleurait plus.

Le général Tourette était redevenu le général Tourette, c'est-à-dire quelque chose de très bon, à l'aspect un peu rude, et qui ne pleure jamais.

– Eh bien ! mon garçon, faut se calmer ! finit-il par dire à Gérard...

– Comment pouvez-vous me pardonner ? arriva à prononcer Gérard...

– *Parce que, mon garçon, j'aurais fait comme toi !...*

– Tout de même, voilà une sacrée histoire de phonographe !... ajouta-t-il après un silence...

– Est-ce que je vais enfin la connaître ? demanda Juliette, dans ses larmes.

– Ma foi oui ! répliqua l'oncle. Il vaut mieux que tu saches, après tout, à quoi t'en tenir sur les histoires de cette journée. Après avoir pleuré avec nous, tu finiras par rire comme moi !

Et il conta l'histoire du *micro-phonographe* que le traître Boncœur *attachait sous la table-bureau du général* et qui était doué d'un mécanisme tout à fait nouveau, lui permettant d'enregistrer, *en silence,* tout ce qui se disait dans la pièce.

Boncœur avait profité d'un moment d'absence du général pour faire parler son phono, dans le bureau même, parce qu'il avait craint, sans doute, de n'avoir plus le temps, ni l'occasion, ce jour-là, de recueillir les précieuses *paroles imprimées...*

Quand il avait vu revenir le général, il s'était empressé d'arrêter le phono, mais il ne devait pas avoir eu le temps de le remettre en place puisqu'il l'avait emporté avec lui, le général, au moment de son brusque départ pour Nancy, ne lui ayant pas laissé une seconde pour se retourner.

– Voilà ce que les Allemands appellent *industrialiser la guerre* ! dit-il. C'est très fort.

Et il se remit à rire...

Mais Juliette ne riait point du tout. Elle voulut connaître tout en détail et, maintenant qu'il n'y avait plus d'intérêt à lui rien cacher, elle connut le mystère du dossier H et de la singulière accusation qui semblait peser sur le général. Or, cette lettre faisait justement allusion à l'entrée de Boncœur au service du général, entrée manigancée par Bussein par l'entremise de Boncœur lui-même et de M. Hanezeau qui avait été trompé comme tant d'autres. Le prix auquel il était fait allusion était le prix que le général devait payer son chauffeur. Voilà comment *on était d'accord sur le prix* !...

Ces explications avaient été données par Boncœur qui, depuis la découverte de l'appareil, ne se refusait à aucune révélation... Il révélait même qu'il était sans doute français mais qu'il était plus assurément encore allemand, ayant conservé la nationalité allemande *malgré la naturalisation de son père* !... Les Boncœur (nom français) étaient allemands depuis la révocation de l'édit de Nantes...

Pendant que le général, aidé de Gérard, retraçait ainsi les diverses péripéties de l'affreux drame qu'ils venaient de vivre, ils ne s'apercevaient ni l'un ni l'autre du changement qui se faisait dans la physionomie de Juliette... Celle-ci s'écartait de Gérard avec horreur... L'idée que son fiancé avait pu, *pour n'importe quelle raison,* soupçonner un honnête homme comme le général Tourette, le mettre sur le même rang qu'un Boncœur, et le traiter comme un vil espion, *et le dénoncer,* cette idée la rendait folle de rage... Et, soudain, quand elle apprit que ce fameux dossier, origine et cause de tout le mal dont avait souffert son oncle, avait été trouvé et livré par Monique, alors elle éclata !

Les deux hommes, stupéfaits, se retournèrent. Ils avaient devant eux une furie !...

– Alors, c'est ta mère qui a dénoncé mon oncle comme espion !...

– Mais tu n'as pas compris !... s'écria le général...

– *Tais-toi, mon oncle ! Il s'agit du nom des Tourette ! c'est à mon tour de parler !...*

– Mon Dieu, Juliette, ma mère ignorait... essaya de dire Gérard...

– *Votre mère, Gérard, n'ignore rien !... Votre mère est une espionne !...*

– Tu es folle ! Tu es folle !...

– Votre mère est une espionne ! J'ai découvert cela, moi !... J'ai vu les preuves de cela, moi !... Et c'est parce que j'ai vu les preuves de cela qu'elle essaie de salir mon nom et fait dénoncer mon oncle !... Tant pis ! je parle ! c'est elle qui l'aura voulu !... Il faut que l'on sache la vérité !...

Le général s'était levé, avait pris les poignets de Juliette et essayait de la faire taire, la croyant insensée... Mais elle lui échappait, et tandis que Gérard, les mains au front, dans un geste d'épouvante et de terreur pour sa raison menacée, la regardait avec des yeux immenses, elle lui dit tout... tout ce qu'elle avait entendu dans la chambre du Cheval-Blanc ! Elle expliqua à Gérard pourquoi elle n'avait pas voulu qu'il pénétrât dans la pièce *où il avait vu entrer l'espionne* !...

– *L'espionne, c'était ta mère !...* Va donc le lui dire ! Va ! va lui dire cela de ma part !... C'est ma réplique au dossier H !... *Et maintenant que je la sais surveillée par son fils, dis-lui que ma consigne est levée, dis-lui qu'elle a le droit de sortir !...*

XIX
Où le drame arrive

Il faut trois minutes pour aller de la rue de la Commanderie à la rue du Téméraire.

Pendant ces trois minutes, Gérard eut le temps de se souvenir de certaines phrases entendues dans la nuit de Chéneville-sous-Arracourt.

Il n'avait pas eu besoin d'aller les chercher très loin. Elles étaient toujours présentes à sa mémoire, mais, à chaque parole de Juliette, elles avaient jailli devant lui en lettres de flammes… « *C'est une femme qui les a assassinés tous les deux* ! »… « *Quand elle a été débarrassée de l'un qui la gênait pour certaines choses, elle s'est débarrassée de l'autre qui en savait trop long !* »… « *Tuer le père Hanezeau* » *c'était son affaire* »… « *Une femme, c'est terrible quand ça veut et quand ça a des intérêts au-dessus d'un éperon aussi haut que celui-là, d'où un accident est si facile !* »

Un travail foudroyant se faisait dans son esprit.

Il hâta le pas et arriva à la porte de la maison de la rue du Téméraire devant laquelle il avait, tout à l'heure, avant de se rendre chez le général Tourette, laissé son auto. Il sonna.

Martine vint lui ouvrir. Il la fit entrer tout de suite dans un petit bâtiment qui servait autrefois d'habitation au jardinier.

Martine le regardait fermer la porte et s'étonnait de son silence, s'effrayait aussi de son visage : il n'était pas blanc, il était vert.

– Qu'est-ce que vous voulez, monsieur Gérard ?

– Martine, tu te rappelles cette journée de fête à Vezouze, que ma mère a donnée quelques jours avant la déclaration de guerre…

– Oui, monsieur Gérard…

– Eh bien, tu dois te rappeler aussi que, vers le soir, ma mère est montée en auto avec mon père et M. Kaniosky pour aller chercher des nouvelles précises sur les bruits de guerre qui étaient devenus très alarmants…

– Oui, monsieur Gérard, répondit Martine, soudain très rouge et dont l'émotion à partir de ce moment, ne fit que croître « à vue d'œil ». Oui, monsieur Gérard, et je me rappelle que votre mère a été obligée de descendre d'auto devant chez nous car elle avait eu un malaise subit…

– Ah ! tu te rappelles cela ?…

– Oh ! oui, monsieur Gérard !

– Tu es sûre de te rappeler cela ?

– Oh ! oui, monsieur Gérard !

– Et combien de temps ma mère est-elle restée chez vous ?

– Toute la nuit, monsieur Gérard !… Elle n'est rentrée au château qu'au matin…

– Toute la nuit, chez toi !…

– Toute la nuit, tu le jures ?…

– Mon Dieu, oui, monsieur Gérard !

– Pourquoi : « Mon Dieu oui ! » ?

– Parce que c'est la vérité…

– Eh bien, moi, je ne crois pas à cette vérité-là, Martine, et je vais te dire pourquoi… parce qu'il est inadmissible que ma mère soit restée toute la nuit chez toi quand elle pouvait rentrer et se faire soigner au château…

– Monsieur Gérard, elle avait dit à M. Hanezeau de lui téléphoner au pavillon, alors elle est restée au pavillon… et puis elle était trop malade pour rentrer au château, à cause de la présence des invités… On l'a toujours dit… et chaque fois que l'on nous a interrogés là-dessus, c'est toujours ce que mon pauvre François et moi avons toujours répondu !…

– Et c'est encore ce que tu me réponds à moi !…

– Mon Dieu, oui, monsieur Gérard !… Du reste, si vous voulez avoir des détails, allez les demander à Madame… elle vous les donnera, c'est bien simple !

– Ce n'est pas ma mère que j'interroge en ce moment, c'est toi !… et tu mens !… Tout ton visage dit que tu mens ! Ta voix affirme que tu mens !… Ton trouble me prouve que tu mens !…

– Je ne mens pas, monsieur Gérard.

– Qui est-ce qui t'a ordonné de mentir ?…

– Personne, monsieur Gérard !…

– Tu le jures ?…

– Bien sûr !…

– Tu le jures sur quoi ?…

– Sur tout ce que vous voudrez !…

– Le jurerais-tu sur le repos éternel de l'âme de François ?…

– Je n'hésiterais pas un instant, monsieur Gérard, je le jure !

Gérard lui prit brutalement les mains et la jeta à ses genoux :

– Tu es une misérable !… Ma mère n'a pas passé la nuit dans le pavillon !… Tu vas me dire la vérité, ou sur l'âme de mon père à moi, je te jure que je te fais arrêter dans dix minutes !…

– M'arrêter, moi !… et pourquoi, Seigneur Dieu ! gémit-elle, pleine d'épouvante et en essayant de se relever ; mais Gérard la maintenait brutalement à terre…

– Oui, t'arrêter, toi, comme complice de la personne qui a assassiné mon père !…

– Ass… ss… sas… iné… votre père !…

- Oui, mon père a été assassiné, j'en ai la preuve !... Entends-tu ! Alors, comprends que tu n'as pas le droit de me mentir sur ce que l'on a fait à Vezouze la nuit où l'on a assassiné mon père !...

Martine râlait... Gérard lui broyait les poignets...

- Laissez-moi, dit-elle, vous me faites mal... je vais vous dire la vérité... s'il y a eu assassinat, cela change et j'en ai assez de mentir !... C'est mon premier mensonge. Je n'en ai jamais fait d'autres... vous me pardonnerez !... C'est mon pauvre François qui m'avait fait jurer sur mon salut éternel et sur le sien que je ne dirais jamais autre chose que ce qu'il me dirait de dire... mais certainement il ne savait pas qu'on avait assassiné ce pauvre M. Hanezeau !... Sans quoi !... Vous comprenez !... Il avait rencontré Madame, au petit jour, qui se promenait, et il l'avait ramenée au château... Ah ! moi, ça m'avait toujours paru extraordinaire que Madame, partie en auto avec Monsieur et Kaniosky, revint comme ça, toute seule, en carriole avec mon frère... Et puis quelques heures plus tard, c'était la nouvelle de l'accident !...

- C'est bien, Martine, relève-toi, tu es une brave fille. Tu comprends, j'avais besoin de savoir cela... j'avais besoin de tout savoir... Si on t'a demandé de mentir, c'est parce qu'on aurait pu trouver bizarre, comme tu l'as trouvé toi-même, que ma mère revînt toute seule... et ma mère aurait pu avoir des ennuis... Maintenant, quand tu reparleras de cette affaire (et parles-en le moins possible), dis toujours comme ce bon François t'avait dit de dire !...

- Je vous le promets, monsieur Gérard !...

- Pardonne-moi, Martine, si j'ai été un peu brutal !... Tu sais, j'étais énervé... je savais que tu mentais et que c'était pour le bon motif, mais ça m'exaspérait que tu me mentes à moi !... Maintenant il ne sera plus jamais question de cette nuit-là entre nous !...

- Jamais, monsieur Gérard !...

- Tu sais que je t'aime bien, Martine ! Tu es une fidèle servante. Où est ta maîtresse ?

– Dans sa chambre, monsieur Gérard !… Toujours dans sa chambre. Elle n'en sort quasiment plus !…

– Oh ! maintenant que je suis là, elle va sortir !… Viens avec moi. Tu vas justement l'habiller pour qu'elle sorte…

Il se rendit chez Monique. Monique l'accueillit avec une exclamation joyeuse et voulut l'embrasser, mais il fit celui qui n'avait pas vu son geste et il lui dit :

– Maman, vous allez vous laisser habiller par Martine… Nous sortons ensemble, cela vous fera du bien !… Une petite promenade en auto…

– Oh ! Gérard, je suis très faible… Tu es bien gentil mais…

– Mais il faut sortir !… J'en parlais tout à l'heure avec Juliette. Elle me disait : « Votre maman a tort de s'enfermer ainsi. *Dites-lui donc de ma part que, puisque vous êtes là, je veux qu'elle sorte avec vous !* Il y va de sa santé !… »

Monique, en entendant ces paroles, se recula instinctivement dans chambre pour que son fils ne pût voir son visage en flammes !…

Mais elle ne résista plus au désir de Gérard et se laissa habiller…

Quand elle fut prête, Gérard lui offrit son bras. Elle s'y appuya avec une vraie joie et monta dans l'auto sans effort.

C'est alors qu'elle s'aperçut de la pâleur de Martine qui était restée sur la porte et de l'étrange visage aussi qu'avait Gérard…

Mais elle n'eut pas le temps de poser une question. Gérard avait donné le tour de manivelle et sauté à côté d'elle, car c'est lui qui conduisait.

– Je vous trouve une drôle de mine à tous les deux !… dit-elle…

– Ah ! Martine n'est pas bien depuis la mort de ce pauvre François et moi, j'ai de gros ennuis !…

– De gros ennuis ! et je n'en sais rien !... Veux-tu bien me conter cela tout de suite !...

– Tout de suite, ma mère !

– D'abord, où allons-nous ?...

– Nous allons à Vezouze !...

– À Vezouze ! tu sais pourtant bien que j'ai juré de n'y plus remettre les pieds !...

– Eh bien, ma mère, nous n'irons pas jusque-là, mais nous irons sur la route... ça me fera plaisir de revoir la forêt de Champenoux depuis que je suis sûr de ne plus rencontrer d'Allemands !...

– Va donc pour Champenoux ! Et maintenant, les ennuis, vite !...

– Il s'agit du dossier H...

– Ah ! mon Dieu, j'en avais comme un pressentiment !

– Eh bien ! ma mère, ce pressentiment ne vous a pas trompée !...

Et il lui raconta toute l'aventure de Bar-le-Duc et du dossier H !...

Elle « n'en revenait pas » que Gérard eût pu croire, une seconde, le général coupable, et elle s'exclama quand elle apprit que Gérard l'avait dénoncé !

– Mais, ma mère, dit Gérard, je vous assure que vous auriez été trompée vous-même ! C'était bien sa voix !...

– Alors, si ça n'était pas lui, qui donc cela était ?...

– C'était une espèce de petit phonographe accroché sous la table de travail !

– Ah ! bien ! s'écria-t-elle, je comprends, maintenant...

Et elle se tut, Gérard la regarda du coin de l'œil, tout en continuant à conduire.

– Qu'est-ce donc que vous comprenez, ma mère ?…

– Eh ! fit Monique, assez troublée… Je comprends, maintenant, « l'histoire de la voix du général »… Un phonographe ! Cela ne m'étonne pas !… Ils industrialisent tout !… Mais c'est bien étonnant qu'on n'ait pas songé à un phonographe comme celui-ci plus tôt !… Moi-même, j'en avais eu autrefois l'idée. Je me rappelle même avoir dit à ton père : « Quel agent d'espionnage serait un bon phonographe qui enregistrerait, invisible et en silence, tout ce qui se dirait dans un bureau d'État-Major !… »

– Ah ! vraiment, ma mère, vous avez eu cette idée-là ! fit Gérard, sur un ton glacé, qui commença d'inquiéter Monique. Qui sait ? C'est peut-être vous qui leur avez donné l'idée de le mettre à exécution !…

– Eh, mon ami, j'ai dit cela à ton père ; et ton père n'était pas un homme à aller donner des idées de ce genre aux Allemands !

– Non, ma mère, mon père, en effet, était un honnête homme !…

– Et un honnête Français ! appuya Monique…

– De cela, je suis sûr, déclara Gérard de plus en plus froid, aussi je ne crains aucune indiscrétion de ce genre du côté de mon père… tandis qu'en ce qui vous concerne, par exemple, ma mère, vous êtes femme, c'est-à-dire que vous ne mesurez pas toujours la portée de vos paroles ni même de vos actes… Vous avez été reçue par l'empereur, vous avez été fêtée par lui… Votre histoire de phono ne vous paraissait encore qu'un rêve amusant, un jeu de votre esprit… Peut-être cela vous a-t-il amusé de parler de votre imagination à l'empereur… à l'empereur ou à un autre…

– Je ne comprends rien à ce que tu dis, Gérard ! fit sèchement Monique… je n'ai parlé de cette… imagination, comme tu dis fort justement, car je n'y attachais aucune importance… qu'à ton père… et à personne d'autre au monde…

– Je vous en félicite !…

Et il ne dit plus rien. Monique ne comprenait rien à la conduite de son fils. Elle le trouvait froid, subitement hostile, et, dans le ton de ses paroles, il y avait quelque chose de mystérieusement menaçant qui commençait de lui donner le frisson. Ce fut elle qui, la première, rompit cet affreux silence :

– Tu m'as parlé de gros ennuis. Maintenant que toute l'affaire est expliquée, j'espère que tes ennuis ont disparu ! Je connais le général : il est incapable de te garder rancune. Et il t'a certainement pardonné !... L'histoire du *phono* a dû même le faire rire !...

– Oui, ma mère, le général, en effet, a ri !... mais je dois vous dire qu'il y a quelqu'un qui n'a pas ri !

– Et qui donc ?...

– Juliette, ma mère !...

Monique reçut le coup en plein cœur... Elle ne douta plus que Juliette avait parlé... Sous sa grosse voilette d'auto, elle fit : « Ah !... » et elle parut exhaler l'âme... si elle n'avait été assise, presque couchée dans cette voiture, elle serait tombée d'un bloc.

Gérard vit, sentit le formidable émoi de la victime, malgré son immobilité.

Dès lors, ils cessèrent de se regarder. Du reste Gérard « poussait » sa voiture, faisait de la quatrième vitesse... Il ne ralentit qu'à l'entrée de la forêt de Champenoux, et il alla finalement très doucement dans la montée du bois Saint-Jean.

Alors, arrivé là, il laissa tomber ces mots :

– Vous comprendrez dans quel ennui je suis quand je vous aurai dit que cette petite Juliette m'a jeté à la figure cette phrase : « Ce n'est pas mon oncle qui est un traître, *c'est votre mère qui est une espionne !* »

Elle ne broncha pas. Lui, il attendait quelque chose. Cette chose ne vint pas. Il continua sur le ton d'une indifférence terrifiante :

– Je vous assure, ma mère, que je n'étais pas préparé à « recevoir » cette phrase-là et je croyais Juliette devenue folle quand elle a consenti à me donner quelques explications nécessaires… c'est alors que mon ennui a augmenté dans des proportions incroyables !… À ce qu'il paraît, ma mère, que vous étiez à l'auberge du Cheval-Blanc, dans une pièce à côté de celle où Juliette était prisonnière, la nuit où j'ai tenté de sauver la pauvre enfant !… Est-ce possible, cela !…

Monique fit un signe d'assentiment avec la tête…

– Vous y étiez donc !… Mais vous, vous n'y étiez point prisonnière !… Vous y étiez en grande conversation avec le chef du service secret de campagne allemand, avec Herr Direktor Stieber lui-même !… Je ne me trompe pas !… Tout cela est vrai, oui ou non ?…

« Oui » dit la tête.

– C'est donc vous que j'ai croisée sur la route avant que vous n'entriez à l'auberge… Vous aviez un énorme manteau que je ne vous connaissais pas… et une voilette d'auto impénétrable… c'était vous ?…

« Oui ! » fit encore la tête !…

Les mains de Gérard tremblaient visiblement sur le volant.

Tout à coup il saisit le volant avec force, ses mains ne tremblaient plus et il lança la voiture dans un sentier à lacet qui grimpait rapidement à l'est du bois ; il arriva ainsi au sommet, « à la côte », comme on dit en terme militaire. Et il stoppa :

– Comme le soir est tombé vite, dit-il, avec un calme de plus en plus effrayant ! On ne voit plus les choses à vingt pas devant soi !… Tout de même, vous reconnaissez cet endroit, ma mère ?…

« Oui », fit encore la tête.

– C'est l'éperon Saint-Jean !

Monique resta quelques secondes sans répondre, puis avec un calme au moins aussi terrible que celui de son fils, elle enleva cette voilette qui lui enveloppait et lui cachait la tête. Et elle dit, d'une voix ferme :

- Oui, c'est l'éperon Saint-Jean !

Et elle descendit comme une voyageuse, très aise, après une longue course en auto, de se détendre un peu les jambes…

Maintenant, Gérard était plus pâle qu'elle. Et il tremblait de fureur encore inassouvie et de rage domptée devant cet abominable cynisme et le calme infâme de la criminelle !

- Je n'en ai point fini avec mes ennuis ! reprit-il en en conduisant sa mère à l'extrémité de l'éperon… prenez garde, n'avancez pas trop… Il n'y a plus de balustrade… On s'est battu ferme par ici !… vous pourriez tomber… comme mon père ! Il est vrai que ce n'est pas la balustrade qui a sauvé mon père !… ajouta-t-il aussitôt, d'une voix sourde… Maintenant, écoutez encore cela, vous qui êtes ma mère… en rentrant de chez Juliette et avant de monter chez vous, *j'ai interrogé Martine… elle m'a avoué que vous n'aviez pas passé la nuit du crime chez elle…* je ne dis pas : la nuit de l'accident, je dis : la nuit du crime !… Et, je sais moi, qu'une femme a été vue au haut de l'éperon Saint-Jean, penchée sur la balustrade pendant que la voiture tournoyait dans le vide !… Je sais, moi, qu'une femme a assassiné mon père et du même coup son amant, Kaniosky !… Cette femme, c'est vous !… C'est vous, ma mère !…

Il lui avait saisi un poignet et le triturait dans l'étau de ses doigts de fer. Cette douleur lui était horriblement délicieuse. Monique dit :

- À part que Kaniosky n'a jamais été mon amant, car je n'ai jamais eu d'amant, tout le reste est vrai !…

- Ainsi, vous avouez avoir assassiné mon père ?…

- Oui !…

- Bien ! voulez-vous remonter en auto ?…

Elle remonta en auto.

– Maintenant, ma mère, vous allez mourir comme est mort mon père !…

– Je l'espère bien, dit Monique, de sa douce voix tranquille…

Elle regardait Gérard s'occuper des moyens mécaniques de sa mort avec l'intérêt charmé d'une mère fière de son fils.

Tout à coup, elle leva les yeux au ciel car elle vit que le moment était venu, et jeta un cri que Gérard n'entendit pas car il ne pouvait rien entendre dans ce moment-là… Il venait de lancer la voiture dans le vide.

Monique avait crié : « Vive la France ! »…

XX
Aurore à l'éperon Saint-Jean

Quand l'auto eut bondi et basculé dans le vide, Gérard se sauva de ce lieu maudit en poussant des cris de détresse. Il criait d'horreur et de désespoir dans la nuit, et cela ne parvenait point à soulager son cœur. Il maudissait sa mère et appelait Juliette… Il demandait à voir Juliette une fois encore, à l'embrasser et à mourir !…

Il courait comme un fou sur la route.

Une auto arrivait à une vitesse folle sur lui.

Il eut envie de se jeter sous elle, mais il n'en eut pas le temps ; l'auto était passée. Un cri avait été jeté au passage : « Gérard !… » Il avait reconnu la voix de Juliette. Il courut derrière l'auto qui stoppait…

– Gérard ! Gérard ! qu'as-tu fait de ta mère ?… Ta mère est innocente, Gérard !…

Il vit cette ombre folle qui se jetait sur lui dans la nuit et qui lui criait que sa mère était innocente et il ne comprenait point !…

– Où est-elle ?… Où est-elle ? D'où reviens-tu ?… De l'éperon Saint-Jean, n'est-ce pas… De l'éperon Saint-Jean ?… Et qu'as-tu fait de l'auto ?… de l'auto dans laquelle était ta mère ?… Malheureux !

Elle l'entraîna, le jeta dans l'auto… C'était elle qui conduisait… Elle reprit sa course folle vers le sommet de l'éperon… Il y avait, là-derrière, un homme, à côté de qui Gérard s'assit.

– Vous ne me reconnaissez pas, monsieur Gérard ? dit l'homme.

– François !…

– Oui, François !… qu'avez-vous fait de votre mère, monsieur Gérard ?… Où est votre mère ?…

– *Elle est morte, d'un accident,* dit-il, *comme mon père, du haut de l'éperon Saint-Jean !…*

François et Juliette poussèrent un double cri de douleur, puis François laissa tomber sa tête sur sa poitrine : « Dieu a voulu que j'arrive trop tard », dit-il.

– Où étais-tu donc, François ? Nous vous avons tous cru mort et tous nous t'avons pleuré !...

– J'étais caché dans un trou d'où je n'ai pu malheureusement m'échapper que lors de la dernière avance de nos troupes, monsieur Gérard !... Et j'accours à Nancy !... et je trouve ma vieille Martine pleine d'épouvante et Mlle Juliette faisant causer Martine !... Ah ! monsieur Gérard, quel malheur que Martine ait causé !... Votre mère était innocente, monsieur Gérard !...

– Hein ?... Qu'est-ce que tu dis ?... Répète un peu !...

C'était la première fois que, depuis son crime à lui, Gérard *entendait* que sa mère était innocente. Jusqu'alors ses sens s'étaient refusés à entendre cette phrase-là ou plutôt son intelligence à la comprendre !...

– Qu'est-ce que tu dis ? Innocente de quoi ?...

– Innocente de tout ce dont l'accusait Mlle Juliette, et de tout ce dont vous l'avez accusée, vous-même !... *puisqu'elle est morte* !... Ah ! pourquoi ne suis-je pas mort, moi aussi ?... Pourquoi une vieille carcasse comme la mienne, inutile et déjà sentant la terre, est-elle encore vivante ?... tandis qu'une si jeune et si belle et si courageuse madame... Ah ! courageuse, elle l'était !... Monsieur Gérard, à moi aussi elle m'avait fait jurer de me taire ! mais elle est morte ! *Et pour sa mémoire, dans votre cœur,* je dois parler !... j'étais avec elle quand elle est venue ici avec l'auto !... Monsieur Gérard, c'est vrai que c'est elle qui les a tués ! de sa propre main... *parce que c'étaient deux espions tous les deux,* nous en avions eu la preuve !...

– Jésus ! hurla Gérard.

– Et si elle a eu affaire après aux Allemands, vous pouvez être sûr, monsieur Gérard, que c'était à cause du misérable qui était mort et pour sauver l'honneur de votre nom ! Mais encore là, elle n'aura su faire que de belles choses et de bonnes choses !... Car elle était comme ça, la chère madame !... Elle a tué votre père, monsieur

Gérard, pour l'honneur de son fils !... Miséricorde ! qu'est-ce qu'elle n'aurait pas fait pour son fils ?... pour son Gérard !...

Gérard s'était mis à genoux dans l'auto et priait à haute voix : « Mon Dieu, faites ce miracle qu'elle ne soit pas morte !... Mon Dieu ! sauvez-la !... Sauvez-la, mon Dieu !... »

Une dernière embardée et ils sont arrivés... ils se jettent en bas, ils courent au bord de l'éperon !... Ils fouillent l'obscurité, ils écoutent...

- Écoutez... écoutez, dit Gérard... Il me semble que j'entends une plainte... oui...

- Oui, oui, dit Juliette, c'est par là !... on gémit...

La lune se montra alors et baigna de sa lumière l'immense panorama...

Tous trois jetèrent un cri.

Les combats acharnés qui s'étaient livrés avaient profondément modifié le terrain, creusé l'éperon, étalé ses terres, créé des paliers ; bref, la falaise n'existait plus !... *Et l'auto brisée était seulement à quelques mètres de là, en contrebas, et le gémissement venait de l'auto !...*

Avec mille précautions qui demandèrent un temps infini, ils réussirent à tirer Monique de ces débris. Elle était encore vivante, mais elle paraissait expirante... Ils étaient à genoux autour d'elle et leurs sanglots finirent par la sortir de sa léthargie. Elle ouvrit les yeux et vit les trois visages penchés sur elle ; elle entendit ces pleurs, ces sanglots, ces supplications !... Elle reconnut François et comprit !... Elle eut la force de lui sourire ! de sourire à son fils et à Juliette... Elle eut la force de mettre la main de Gérard dans celle de Juliette... Elle n'eut qu'un mot en regardant ses deux enfants : « *Vivez !...* »

- Nous ne vivrons que si tu vis, maman ! s'écria Gérard.

– Nous le jurons, sanglota Juliette, nous ne vous survivrons pas !… C'est moi qui vous ai tuée, ma mère !…

Elle les enveloppa de son ineffable sourire.

Tout à coup Monique fit signe que l'on écoutât, et l'on entendit des chants dans la plaine… et l'aurore se leva… une aurore qui venait de Metz et de la Lorraine délivrée !…

François s'était levé : « C'est l'infernale qui passe ! s'écria-t-il ! je la reconnais… Écoutez-la chanter !… »

L'hymne montait joyeusement dans un ciel embrasé de victoire…

La victoire, en chantant,
Nous ouvre la barrière !…

– Il faut vivre, maman, il faut vivre, sanglotait Gérard.

Monique tourna ses yeux vers Metz ; sa figure rayonnait encore une fois comme une gloire…

La victoire était si sûre et la France allait être si belle !

Monique vécut…

FIN

Milton Keynes UK
Ingram Content Group UK Ltd.
UKHW051138120923
428521UK00009B/412

9 791041 835652